D0656928

Les figurants
de la mort

ROGER DE LAFFOREST

LES FIGURANTS DE LA MORT

Préface de François Ouellet
Illustrations d'Hugues Micol

L'ARBRE VENGEUR

© Tous droits réservés – Éditions de l'Arbre vengeur
15, rue Berthomé
33400 Talence

www.arbre-vengeur.fr

Préface

La poésie de l'aventure

Toute œuvre est bonne
qui peut être victorieuse de l'ennui.
– Roger de Lafforest

Ne cherchez pas le nom de Roger de Lafforest dans les histoires de la littérature ou dans les biographies, correspondances et journaux des grands et moins grands écrivains, vous ne le trouverez pas. À plus forte raison aujourd'hui, personne ne se souvient qu'il y eut au siècle dernier cet écrivain élégant et malicieux, né à Paris le 11 janvier 1905 et décédé à Lasalle le 16 novembre 1998, dont l'œuvre de fiction, tout à fait étonnante, est composée de cinq romans et un recueil de nouvelles publiés entre 1930 et 1966. Celui qui en 1944 ne se disait pas « même écrivain de profession » est relégué aujourd'hui dans un oubli profond auquel semblent avoir contribué un parcours marginal et une certaine modestie. Ajoutez à cela une position affichée d'intellectuel de droite sous l'Occupation qui lui vaut d'être inscrit, à la Libération, sur la fameuse Liste clandestine des écrivains indésirables établie par le Comité National des Écrivains. Depuis, c'est une interminable mise en quarantaine, à tort ou à raison, selon le point de vue. Mais au nom de la littérature, qui devrait avoir le dernier mot sur le politique, le nom de Roger de Lafforest s'ajoutera ici à ceux de Jacques Decour, Régis Messac, Pierre Bost et quelques autres tout récemment redécouverts, et rappellera que des dizaines d'autres romanciers de talent de la première moitié du XXᵉ siècle – du prolétarien Tristan Rémy au collaborationniste Robert Poulet –, écartés de la mémoire littéraire en raison des aléas de l'édition ou de conjonctures idéologiques défavorables, attendent que vienne leur tour d'être réédités.

Au reste, il est loin d'être sûr que les opinions politiques de Lafforest puissent expliquer cet oubli, dont l'écrivain est sans doute le premier responsable. La qualité des romans publiés après la guerre, et malgré une réception critique souvent admirative, ne sera pas à la hauteur de ses deux remarquables premiers romans, *Kala-Azar* (1930) et *Les Figurants de la mort* (1939). Sur l'ensemble d'une vie qui traverse tout le siècle, cela donne une œuvre littéraire trop sporadique, sans compter que, après deux romans chez Grasset, le reste aboutit chez Colbert, André Martel et Del Duca. En outre, le romancier des années 1930 préfère se tenir en dehors des principaux milieux littéraires et privilégie une littérature singulière, éminemment satirique, en marge du surréalisme dont il partageait l'esprit sans pouvoir y adhérer pour des raisons idéologiques. Surtout, Lafforest ne fera jamais rien pour rappeler le brillant romancier qu'il fut entre les deux guerres, préférant consacrer son temps, à partir des années 1950, à l'écriture de pièces radiophoniques et principalement à des travaux de parapsychologie ; *L'Art et la science de la chance*, en 1968, et le best-seller *Ces Maisons qui tuent*, en 1972, inaugurent une série d'ouvrages qui, jusqu'à *Signé : « Dieu ». À la recherche d'un code numérique exprimant la loi d'harmonie qui régit le monde*, en 1992, vont faire de l'écrivain une des figures de proue de la collection « Les énigmes de l'univers » chez Robert Laffont. Comment prendre au sérieux cet écrivain qui s'est reconverti en radiesthésiste ?

Quand paraît *Les Figurants de la mort*, Lafforest est connu comme poète, romancier et journaliste, collaborant depuis le milieu des années 1920 à des revues d'idées et de débats de droite. Associé entre les deux guerres à ce qu'Emmanuel Mounier a appelé la Jeune droite catholique, Lafforest est d'abord un écrivain militant. Étudiant (il fait une licence de lettres et une licence de droit), il participe avec enthousiasme et assurance aux activités de la jeunesse nationaliste et catholique. Car si la jeunesse du début du siècle est inquiète, au sortir de la guerre elle a néanmoins devant elle un nouveau monde à construire. Pour l'heure, la guerre a donné à la nouvelle génération la conscience de son rôle. Dans cet esprit, Amédée d'Yvignac fonde *La Gazette française*, organe de la politique chrétienne d'inspiration nationaliste et thomiste auquel Jacques Maritain apporte sa caution dans le premier numéro, le 3 mai 1924. Lafforest en est secrétaire général et le poète Paul Gilson, son ami le plus intime, directeur. Après avoir indiqué l'antinomie radicale qui anime la revue avec l'esprit républicain, la direction précise : « Tant que nous n'avons pas eu l'âge d'homme, encore qu'on trouvât cet âge suffisant pour nous demander notre sang, nous avons gardé le silence. Aujourd'hui notre heure est venue. Nous parlerons, mais pour agir ». Le propos est dans le ton de ce que Lafforest écrit le 10 juin 1924 dans la *Revue des jeunes* : « Ce sentiment de notre importance dans la reconstruction future, nous éloigne à jamais d'être des dilettantes ou des mandarins de lettres ». La jeune génération, précise Lafforest, sera soucieuse de son développement intellectuel en fonction d'une intervention active et organisée sur le monde. Déplorant le fait que la religion soit perçue essentiellement comme soutien et consolation des faibles, Lafforest indique que le catholicisme peut aussi être un dispensateur de leçons d'énergie, souhaitant qu'il reprenne « le caractère qu'il avait aux époques fortes de la civilisation française ». Dans la veine d'un catholicisme combatif, Lafforest participe à l'enquête sur la culture lancée en janvier 1926 par la Fédération nationale des étudiants catholiques, dont rendront compte *Les Lettres*, et intervient dans les travaux de la Conférence Olivaint, qui servait de lieu de paroles aux jeunes étudiants catholiques ; il y prononce une conférence sur Barrès en 1924, « Barrès, maître d'attitude ».

Au milieu de ces initiatives, des amitiés se forment, des liens se tissent. En mars 1925, après avoir pris connaissance de l'article de Lafforest dans la *Revue des jeunes*, Maritain l'invite chez lui à Meudon. Ce dernier l'introduit auprès de Jean Cocteau, qui vient de se convertir. Autour des aînés se regroupent Lafforest, Charles Vallin, futur député du Parti social français, les poètes Robert Honnert et Pierre-Jean Robert, le surréaliste Georges Hugnet, Maurice Sachs et quelques autres. Cocteau encourage Lafforest qui, simultanément à son activité dans les cercles catholiques, compose ses premiers poèmes. Cocteau lui écrit le 23 août 1925 :

« Votre poème vous prouve en pleine joie de *découvertes* – muant au milieu d'ennuis morts, de vieilles peaux et de moules en miettes. [...] Je ne vis que de ma confiance en vous – alors travaillez, faites-moi vivre de votre travail ! ». Lafforest commence bientôt à publier ses premiers textes de fiction. Avec Paul Gilson, il écrit un récit, « La Défaite de Madame Armide ou La Revanche d'Antonin », qui paraît en quatre livraisons (d'avril à juillet 1927) dans *La Revue fédéraliste* de Jacques Raynaud. En novembre 1927, dans la même revue, il publie un curieux texte, « Collaboration », proche de l'esprit surréaliste et de Max Jacob. Dans cette veine, il produit des proses et poèmes modernistes dans le *Cahier du Taudis*, jeune revue savoyarde d'art et de littérature dirigée par Jean Dunoyer à laquelle collaborent ses amis Paul Gilson et Pierre-Jean Robert. Max Jacob, que Lafforest admire beaucoup, lui écrit à ce sujet : « Ce que vous faites dans le *Taudis* est mieux que ce qui se fait de mieux ailleurs ».

Pourtant, il semble que Lafforest se sente à l'étroit dans le Paris des années folles. Maurice Sachs essaie en vain de l'aider : « Je dis que Saint Jean de la Croix est mieux que les romans feuilletons mais vous me répondez que vous avez déjà lu Saint Jean de la Croix et que vous vous "ennuyez tout de même". [...] J'essaie de vous soulever la main et elle pèse cent kilos », lui écrit-il le 2 février 1926. Habité par un besoin d'évasion, comme bien d'autres jeunes gens de l'époque, et croyant aux vertus de l'éloignement, Lafforest décide de prendre le large et, en juin 1927, s'embarque pour l'Amérique du Sud avec l'intention de n'en jamais revenir. De La Havane à Caracas en passant par la Colombie, il cherche à s'établir en se livrant à des commerces divers et pas toujours licites ; on le voit notamment faire le trust du charbon de bois et se mettre à la recherche des trésors enfouis par les Frères de la Côte – aventure dont il s'inspirera pour rédiger les premières nouvelles de *La Cravate de chanvre* (André Martel, 1953). De Cuba, il écrit son bonheur à ses amis. Mais moins d'un an plus tard, en avril 1928, la mort de sa mère fait rentrer Lafforest à Paris d'un long voyage qui va le marquer durablement. Pendant son absence avait paru un nouveau récit écrit avec Gilson, « La Peur », en trois livraisons (novembre 1927 à janvier 1928) dans *La Revue nouvelle*. À son retour, il fait paraître des poèmes dans les *Cahiers mensuels* de Jean-Pierre Maxence, une revue catholique en haine de la démocratie parlementaire, née des suites de la condamnation romaine de l'Action française et « d'une prise de conscience de l'imposture de l'époque », dira Maxence. Responsable de la page hebdomadaire de *L'Ami du peuple*, fondé par le parfumeur et ancien propriétaire du *Figaro* François Coty, Gilson sollicite son ami pour des articles sur le cinéma, sujet que Lafforest couvrira régulièrement dans des revues comme *Pour vous* et *La Revue du cinéma*. Il donne enfin *Kala-Azar* en 1930, très chaleureusement accueilli par la presse et au sujet duquel Cocteau lui écrit avec enthousiasme : « Cher Roger, c'était si beau, si merveilleux ce navire et ces sommeils et je vous *croyais* – c'est le triomphe des poètes ».

Les années 1930 sont marquées pour Lafforest par un journalisme d'opinion toujours résolument catholique et de plus en plus nationaliste. Comme bon nombre d'écrivains de l'époque, il multiplie les sujets d'intervention et les lieux de publication. Outre des chroniques littéraires dans le quotidien *Le Jour* de Léon Bailby et des reportages dans *Vu* ou dans la revue *Voilà* de Florent Fels (une revue féminine), on retrouve surtout sa signature au sommaire de feuilles idéologiques, d'abord celles du *Courrier royal*, un hebdomadaire fondé en avril 1934 par Henri d'Orléans, comte de Paris, auquel contribue le romancier André Maurois. À partir de 1936, il collabore à *La Belle France*, une revue mensuelle d'influence et d'information françaises à l'étranger qui porte comme devise une phrase du maréchal Pétain : « Il faut que l'esprit public reste national ». L'élection du Front populaire le démoralise, car Blum ne peut que conduire la France à la guerre et à la misère. « Je parle comme un homme qui avait 13 ans en 1918. C'est-à-dire que tous mes souvenirs d'enfant sont des souvenirs de guerre, la guerre de l'arrière, avec son pittoresque sans héroïsme, son bourrage de crâne, son désordre favorable aux imaginations et aux aventures puériles », écrit Lafforest en novembre 1936, demandant que l'on suspende la célébration de l'armistice parce que les traces de la victoire de 1918 se sont effacées et que lui et les hommes de sa génération ne sont « plus les fils des vainqueurs, mais seulement de la chair à canon de demain ». En février 1938, il inaugure une chronique régulière de politique étrangère, « Perspective du monde ». Il milite pour la paix, déplore la perte des valeurs spirituelles au profit d'un matérialisme dont le triomphe marque la décadence de l'Europe, dénonce les prétentions militaires d'Hitler « avec une horreur non moindre que celle de la soviétisation », appelle avec angoisse à la vitalité de la France dont les dirigeants ne sont pas à la hauteur des conjonctures politiques à l'échelle européenne, célèbre l'amitié franco-anglaise marquée par la visite à Paris des souverains britanniques en juillet 1938. À la même époque, il est aussi secrétaire de la rédaction de *La Liberté*, un journal publié sous la direction de Jacques Doriot auquel participent son ami Armand Lanoux et Drieu La Rochelle. Mobilisé en Alsace, au moment où il remporte le prix Interallié, le lieutenant Lafforest

est fait prisonnier quelques mois plus tard et placé en captivité à l'oflag IV D.

Si Lafforest répète, dans les années d'avant-guerre et contre le Front populaire, qu'il faut absolument préserver la paix, qu'« [o]n peut aimer sa patrie et pourtant préférer de vivre les années heureuses plutôt que les années terribles du destin national » (*La Belle France* en mai 1936), c'est que le contexte politique paraît défavorable à la droite. En revanche, comme tant d'autres, il verra dans la guerre l'occasion d'une refonte complète des institutions de la république bourgeoise. Il s'en explique dans un article de *La Gerbe* (le 20 novembre 1941), « hebdomadaire de la volonté française », organe du groupe Collaboration fondé par le romancier Alphonse de Chateaubriant : « En apprenant, dans un camp de prisonniers en Allemagne, que ce régime [la République] imbécile et abject était enfin crevé juste avant d'avoir pu achever de tuer la France sous lui, j'eus un sursaut de joie et d'espoir : malgré la défaite, mon premier but de guerre était atteint ». Partageant l'idéologie paysanne de l'auteur de *Monsieur de Lourdines*, il a ce cri barrésien dans *L'Appel* du 12 février 1942, organe de la Ligue française de Pierre Costantini : « la patrie, c'est d'abord des mottes fécondes ». Le collaborationnisme, chez Lafforest, ne s'exprime jamais dans une adhésion à l'Allemagne, bien au contraire, mais strictement dans la volonté et l'espoir d'une France qui rétablisse les valeurs hiérarchiques et spirituelles de la monarchie, qui pouvait justifier ses privilèges par ses responsabilités, alors que la démocratie aura donné naissance à un peuple « encrass[é] par les préjugés bourgeois » et que dirige une franc-maçonnerie pour laquelle l'exercice du pouvoir n'est « qu'un moyen de s'engraisser sans risque ». Mais Lafforest déchante dès son retour de l'oflag : « Une année a passé : je suis rentré en France, et si je garde confiance d'en avoir fini pour toujours avec la République et la Démocratie, je suis atterré de retrouver mon pays aussi profondément embourgeoisé, endormi, encroûté dans ses habitudes sociales, dans ses attitudes morales d'ancien régime ».

Entre-temps, Lafforest a publié *Les Figurants de la mort* quelques mois avant la mobilisation. Prisonnier, il a fait la connaissance de Patrice de la Tour du Pin. « Je l'admire profondément, c'est avec Claudel le plus grand poète français vivant », écrit-il le 9 décembre 1939 dans la rubrique « Franchise militaire » des *Nouvelles littéraires* consacrée aux écrivains aux armées. Quelques années plus tard, Lafforest sera l'un des premiers — « à cause de tant de mois passés ensemble » — à qui le poète annoncera ses fiançailles. À son retour, il fait paraître un roman inédit, *Mademoiselle Pie*, en treize livraisons (de novembre 1941 à février 1942) dans *Toute la vie*, un nouvel hebdomadaire d'actualités illustrées dont le rédacteur en chef est Alfred Mallet. Surtout, il a ramené de sa détention un roman d'anticipation, *Si le ciel tombe…* (Colbert, 1942), qui relate ses désillusions et ses espoirs. Grasset, qui avait publié les romans précédents, rejette celui-ci ; et à Maurice Sachs, qui a essayé en vain de le faire éditer chez Gallimard, Lafforest rétorque : « Je crois avec un ridicule orgueil que mon livre est important pour une cinquantaine de jeunes gens ayant moins de trente ans – ce qui constitue en réalité une génération – et pour moi-même ». C'est maintenant vers la génération qui a suivi la sienne que l'écrivain se tourne. Le roman est une fable politique où les personnages évoluent dans le royaume des morts et sont soumis aux lois du « communisme céleste » ; à la fin, le héros, nouveau messie, s'en échappe pour revenir en France enseigner la révolte. Toutefois, ce roman, le moins réussi de Lafforest, reste confus, trop hésitant entre la fable politique et l'ironie, il est parasité par un ensemble d'événements et de réflexions qui en minent l'unité et la cohérence. Pour la première fois, Lafforest s'éloigne de l'univers surréaliste de ses premiers romans, et à tout le moins en amoindrit la magie et la fantaisie par la lourdeur d'une allégorie absconse.

Après la guerre, Lafforest délaisse la littérature et se concentre sur le journalisme, aussi bien dans la presse écrite qu'à la radio. En 1954, il publie sous le pseudonyme de Rocheteix, avec Armand Jammot, une enquête journalistique sur la prostitution, *Pêcheuses d'hommes* (André Martel). L'année suivante il donne un nouveau roman, *Les Perruques de Don Miguel* (Del Duca), souvenirs amusants d'une vieille aristocrate célébrés par André Thérive dans une lettre à l'auteur : « *Les Perruques* sont un chef-d'œuvre. En parle-t-on ? [...] Manifestez-vous à moi, de grâce, car j'ai du mal à me procurer une adresse valable qui vous atteigne. Je serai absent deux mois ; mais après, je voudrais dresser des plans pour vous revoir et servir la cause de ce livre éblouissant ». L'hommage a sans doute fait sourire Lafforest, qui trente ans plus tôt avait épinglé le romancier du *Plus grand péché* dans un article de *La Gazette française* (« André Thérive ou l'Universitaire dandy », le 15 mars 1925) : « Sa suffisance tient du prodige, sa vanité est déconcertante »... Sa traduction de *L'Art d'aimer* d'Ovide est éditée dans le numéro du 15 février 1957 de *La Bibliothèque mondiale*, une revue mensuelle qui éditait des classiques de la littérature. Il revient à la fable politique et contre-utopique avec *Le Sosie du Prince*, publié chez Del Duca en 1966, possible soutien idéologique au comte de Paris au moment où celui-ci s'est rallié à de Gaulle et espère le retour de la monarchie. Mais l'action du roman, clin d'œil à un moment historique où tout eut pu basculer en faveur des idées de l'auteur, se déroule en 1939 dans une monarchie imaginaire, celle du Sahran, alors que l'Europe est sur le point de s'enflammer. Jamais encore, dans la fiction, le romancier n'avait été aussi explicite sur ses convictions, malgré le recours oblique à une ironie féroce, où le lecteur doit entendre l'envers du discours que tient le héros : aux mouvements révolutionnaires et à la volonté républicaine de faire triompher les droits des hommes, une société fondée sur les lois et gouvernée par les princes est toujours préférable, car il ne peut y avoir de bonheur sans privilèges, discipline et résignation. Cette société idéale s'inspirerait de la démocratie athénienne, dont le sens démocratique aura été perverti par les dérives républicaines modernes. En 1970, quand il prend sa retraite du journalisme, il est rédacteur en chef à Radio Luxembourg et Directeur de *Paris jour*. En avril de la même année, il est élu au Bureau de la Société des Gens de Lettres ; il sera au Comité jusqu'en 1976. Pendant toutes ces années, et ce, jusqu'à sa mort, l'occupent surtout ses ouvrages ésotériques…

Dans l'ensemble de l'œuvre de Lafforest, trois titres au moins doivent être relus aujourd'hui : les romans des années 1930 et le recueil de nouvelles *La Cravate de chanvre*, bref ce qui échappe à la forme romanesque de la contre-utopie.

Publié chez Grasset, *Les Figurants de la mort* paraît en juin 1939. En décembre, le roman reçoit le Prix Interallié, décerné annuellement à un romancier journaliste (*La voix royale* de Malraux en avait été le premier récipiendaire en 1930). Le roman fait l'objet, en 1944, d'une réédition de luxe, rehaussée par de nombreuses illustrations de Jean Molher, dans la « Collection de la main d'or » aux éditions de la Nouvelle France.

Épuisé d'avoir couru le monde pendant dix ans, le narrateur anonyme des *Figurants de la mort* est venu se reposer quelques mois à Saint-Maury-sur-Yveline, une tranquille bourgade de l'Ile-de-France. Il se lie rapidement d'amitié avec l'ancien capitaine au long cours PetitGuillaume, qui passe pour fou auprès de la population locale. En effet, chaque jour depuis deux ans, à l'aube et au crépuscule, PetitGuillaume pousse un hurlement sans que personne ne puisse expliquer son étrange comportement. Afin de satisfaire la curiosité du narrateur, l'ex-capitaine lui fait le récit de sa dernière aventure.

Ce récit, qui constitue l'essentiel du roman, offre une aventure haute en couleur que le lecteur découvre avec un intérêt et un plaisir sans cesse renouvelés par un imaginaire digne des plus belles fêtes carnavalesques. Sur le *Libertador*, un navire qui sous la gouverne de PetitGuillaume emporte de l'Allemagne vers le Venezuela un général fêlé et milliardaire, sorte de Don Quichotte des temps modernes, une femme velue forte en gueule, une jeune russe d'une frigidité absolue et un équipage recruté à l'improviste parmi les mauvais garçons de Hambourg pour tourner un film d'action en pays exotique, c'est l'Aventure avec une capitale qui est inaugurée. L'univers féerique de Lafforest se présente comme un épatant croisement entre le grand roman d'aventures, l'univers de Blaise Cendrars et le « vrai » surréalisme.

Si Lafforest a pu ramener de son séjour en Amérique du Sud des images et anecdotes pour nourrir son imaginaire, il avait néanmoins avant son voyage une idée précise de la manière dont le roman d'aventures demandait à être renouvelé. En témoigne un article de *La Gazette française* du 3 mai 1924, « La nouvelle formule du roman d'aventures », signé par Lafforest et son condisciple Émile Pirel, qui a presque valeur de manifeste en regard des deux premiers romans à venir. Le roman d'aventure d'aujourd'hui, expliquent-ils, n'a plus rien à voir avec Ponson du Terrail, Paul Féval ou Alexandre Dumas « depuis que nous connaissons le cinéma. Plus rapide, plus précis, plus évocateur, plus expédient, le film interdit à tout roman d'aventures selon l'ancienne manière de se développer sous la forme littéraire ». La nouvelle formule du roman d'aventures, que parviennent à élaborer Paul Morand et Pierre Benoît, mais qu'il revient aux plus jeunes d'approfondir, fait toute la place au *mystère*, autant en ce qui a trait au décor (non plus un décor qui repose sur des arêtes bien définies, mais une atmosphère de décor) qu'à la psychologie des personnages (le romancier « concentre toute la lumière sur un coin curieux de l'âme du héros »).

Que *Les Figurants de la mort* doive une partie de son esthétique au cinéma, cela est certain. Si le roman d'aventures traditionnel n'est jamais loin, il en sort transformé dans de multiples scènes ; on se bat comme dans un film classique de marins et on se donne des coups de bottes au derrière comme chez Charlot. C'est après tout le roman d'une croisière cinématographique, mais où on joue à faire semblant, comme sur tout plateau de tournage. Du coup, la parodie du cinéma devient celle du roman d'aventure lui-même, qui se trouve en quelque sorte déconstruit de l'intérieur. L'on arrive dès lors au cœur de la création littéraire de Lafforest, de sa marque de distinction : le discours propre du roman moderne, c'est la magie et la plaisanterie, l'ironie profonde et la satire, voire la contre-utopie quand l'ambition politique rivalise avec la création littéraire, bref une conception romanesque du hors norme et du hors cadre, où les choses sont dites « à côté » et le romancier espiègle, l'intellectuel déçu et le lecteur passionné de Defoe et de Dumas trouvent leur compte.

C'est pourquoi l'atmosphère bigarrée et insolite des *Figurants de la mort* repose sur un humour qui peu à peu se ménage habilement un espace de réflexion et de moralité, où le ridicule devient tragique. La tonalité réjouissante du récit ne doit pas nous faire oublier la critique qui en justifie le développement, si bien que *Les Figurants de la mort* se démarque de ses lointains modèles par son insistance sur l'enseignement à tirer : malsaine, l'aventure est pareille au diable, et lorsqu'elle nous saisit, elle brise notre vie, ne nous laissant plus que le remords et la honte. Cette rhétorique toute simple (illustrer les méfaits de l'aventure pour décourager les autres de vouloir s'y frotter) explique l'ingéniosité de la structure narrative, où le narrateur, qui se dit « plus torturé que jamais par le prurit de vivre » au moment de sa rencontre avec PetitGuillaume, devient un double de celui-ci. La folie ne caractérise pas seulement l'ancien capitaine au long cours, elle désigne la part obscure du narrateur ; le cri du fou, c'est « une voix de cauchemar » qui habite ce narrateur sans qu'il le sache encore. Sans s'en douter, celui-ci va au-devant de son destin en frappant à la porte de PetitGuillaume, « à la recherche d'un temps perdu qui n'était pas le mien », mais qui le révélerait à lui-même mieux que ne saurait le faire une madeleine. Car ici la mémoire est tout sauf involontaire, et le châtiment des personnages est précisément d'être incapables d'oublier ce qui d'abord se voulait être « la seule forme d'existence digne d'un homme ». Cette condamnation sans appel de Madame l'Aventure dans un roman pourtant fait sur mesure pour plaire aux amateurs du genre n'est pas son moindre paradoxe, sans doute, mais ce paradoxe est assez à l'image et à la manière d'un romancier dont le jansénisme dirige depuis les coulisses. Un roman, cela peut être aussi la rencontre d'un esprit moderniste avec un réactionnaire, une tonnelle de Robinson avec un évangile.

Au roman de l'aventurier à la Malraux, auquel fera écho, dans les années 1930, une adhésion massive des écrivains aux événements sociopolitiques, Lafforest oppose ainsi un roman du renoncement et de l'immobilisme proche du surréalisme de la première heure, loin des « snobs aragonesques » qui ultérieurement mettront le procédé poétique au service de la révolution marxiste. C'était le propos de *Kala-Azar*, où seul le merveilleux et le rêve sont promesse de bonheur ; mais comme ce bonheur ne peut être actualisé dans la société européenne, il reste à vivre en « indifférent ». *Les Figurants* reconduit en quelque sorte cette impasse de l'action au profit du retrait en société. La leçon qu'il en reste est que « la vérité c'est la vie moins la poésie et moins la religion », de sorte que « le seul remède, c'est l'immobilité ». L'on est proche ici d'un certain orientalisme et exotisme qui colore certains romans de l'époque, notamment *Sao-Kéo ou le bonheur immobile* de Pierre Billotey (paru chez Albin Michel en 1930 et réédité en 1999 aux éditions Kailash). Et au plus près sans doute de Lafforest, qui devait tout de même avoir mis beaucoup de lui-même dans ce narrateur qui à la fin retrouve à la terrasse des Deux Magots « quelques-uns des jeunes porcs du régime qui apprennent à s'engraisser dans l'administration ou les antichambres ministérielles, des journalistes à permission de minuit, bref le gratin de l'intelligence, l'élite sans salon, les petits automates de l'arrivisme et l'internationale de la fausse bohème à change élevé ». Heureusement, il y a l'ombre bienveillante de la place Saint-Germain-des-Prés et de son église. « Si chaque homme avait dans son village une église comme celle-là, il serait moins turbulent ».

En bout de ligne, l'aventure, ce n'est que de la littérature, dans les deux sens du terme. Si le narrateur et PetitGuillaume se sont embarqués dans des histoires pour lesquelles ils ont tout sacrifié (travail, famille, honnêteté), c'est la faute aux littérateurs, ces

« sédentaires peureux » qui se sont amusés à « exalter les risques de l'aventure » et ainsi tendre un piège aux « pauvres têtes folles » qui à trop lire Jules Verne ont ignoré la sagesse de la réflexion de Pascal sur le divertissement. Oppressé entre deux infinis, le temps et l'espace, l'homme ne tient pas en place. « Le malheur d'être un homme est inguérissable », résume le narrateur… C'est aussi qu'ils ont eu le malheur de prendre au sérieux aussi bien Don Quichotte que Rastignac.

Il est possible aussi que ce curieux romancier, tout à la fois défenseur des flibustiers, aventurier repenti et monarchiste ironique, nous ait tous roulés et qu'il ait eu le dernier mot. « J'aime tout ce qui peut faire rêver les crédules, et je trouve que les plaisanteries les plus longues sont les meilleures », disait-il malicieusement. Cela pourrait être le fin mot des *Figurants* aussi bien que de l'écrivain.

François OUELLET

Les figurants de la mort

On ne peut pas vivre et rester honnête.

PROLOGUE

Le fou hurlait deux fois par jour : à l'aube, quand le premier avion, ronflant à hauteur des cheminées, réveillait le village ; au crépuscule, après que trois coups de trompe prolongés eussent chassé les carriers des meulières.

Les habitants de Saint-Maury-sur-Yveline ne prêtaient pas attention à ce cri étrange qui annonçait l'orée et la retraite du jour. Bruit insolite, devenu à la longue familier, il renforçait la monotonie de la vie quotidienne ; il faisait partie maintenant du thème musical, propre à tout paysage que l'homme habite, différent selon chaque lieu, et qui suffit à évoquer un village, à le définir par une simple rumeur qui lui est particulière.

Pourtant, l'étranger que j'étais, au premier matin de mon séjour à Saint-Maury, s'émut de ce hurlement qui déchirait l'aube. Dans l'adorable vallée où le village s'étale, crucifié sur une grand-route et sur un ruisseau – les maisons du bas préférant l'Yveline, son berceau de cresson et de saules ; les maisons des pentes préférant le chemin blanc et ses berges de peupliers, jusqu'à rejoindre de chaque côté les premiers bois des thalwegs – dans ce creux d'Île de France si chantant, souvent enroué d'une traînée de brume mais qu'un souffle ou qu'un rayon dissipe, le cri du fou éclatait comme un signal d'alarme, brisait l'harmonie de ce décor classique, scandalisait comme le rappel d'une misère honteuse, d'un désespoir incurable. C'était un gémissement enflé qui s'achevait en sanglot, si déchirant qu'on hésitait d'abord à le croire humain, car seules les bêtes savent se plaindre avec tant d'impudeur.

Le petit pavillon que j'avais loué pour le printemps était le dernier du village sur le versant oriental. Il s'adossait aux bois d'où tombait, à même mon arrière-cour, une fraîcheur parfumée, la grande odeur de la sève vernale qui crevait la peau de chaque plante. Mille ramages d'oiseaux plus bruyants, plus colorés que des aras, éclataient jusque dans ma chambre. Le matin, le soleil ruisselait sur ma maison à travers un barrage d'arbres encore dépouillés, construisait des échelles de rayons entre les troncs blancs des bouleaux, allumait les boutons d'or et les premières anémones qui perçaient la mousse du sous-bois.

La façade donnait sur la vallée que je dominais entièrement. Sous mes fenêtres le village s'étageait ; trois
cents feux environ bordaient la route qui, venant du
Sud, tournait juste devant mon jardin, dévalait vers
l'Yveline qu'elle franchissait sur un gentil pont bossu,
remontait par l'élan acquis jusqu'à mi-côte sur l'autre
versant, tournait brusquement à droite, longeait la
vallée et se perdait enfin au Nord dans les lointains
bleutés où les toits d'ardoise de Miloire-la-Chapelle, si
purs sous une rampe de sapins sombres, ajoutent une
frange au ciel. La grande ferme de Broux, d'une noble
et pesante architecture utile, vieille de trois siècles,
commandait au fond de la vallée des hectares de pâtu-
rages et de labours.

Dans ce coin d'Île de France, la vie dormait heureuse.
Sans le fou et son hurlement quotidien, j'aurais pu
y trouver enfin le repos que les médecins m'ordon-
naient mais que mon goût pour les hasards de la vie
aventureuse m'avait jusque-là, au mépris de ma santé,
fait différer de prendre. Car, bien que d'une médiocre
constitution physique et d'un tempérament peu audacieux, j'avais la passion, ou la manie, de l'aventure,
du risque, du mouvement. La littérature, sans doute,
m'avait inspiré cette fièvre. Je pensais qu'une vie calme
et sédentaire ne valait pas la peine d'être vécue ; il me
fallait des horizons qui changent ; et la soif de tout voir,
de tout risquer, de tout goûter me dévorait. L'aventure

me paraissait la seule forme d'existence digne d'un homme.

Pour mieux me conformer à cet idéal puéril, je m'étais efforcé pour être suprêmement libre de me détacher de tout. J'aimais mes bibelots, mes livres, mes amis, mes habitudes d'étudiant : je décidai de vivre à l'hôtel, dans une chambre impersonnelle, n'ayant pour bagage que deux costumes et du linge ; je méprisai et délaissai mes amis, ma famille ; je pris le parti d'avoir le cœur sec et vide pour qu'il fût moins encombrant à emporter avec moi.

Il me fallut vaincre mes timidités, mes scrupules, ma douilletterie, mes goûts bourgeois. Je le dis sans modestie, ce fut presque de l'héroïsme. Mais mon imagination échauffée par la poésie me faisait honte de mes angoisses : « Il n'y a pas d'autre existence possible, songeais-je. Je ne suis ni une fourmi ni une abeille. Il faut vivre intensément, dangereusement même chaque minute, et si une telle frénésie empêche de la savourer comme le veulent les délicats, du moins nous préparons-nous ainsi des souvenirs pour nos vieux jours ». Je ne me doutais pas alors que ces souvenirs sont justement de ceux qui font mal ou qui font honte, et qu'ils ne peuvent que rendre plus amère la fin d'une vie.

Je n'entreprendrai pas de raconter mes expériences. Comme j'étais mal doué pour l'aventure, je n'en tirai évidemment que des joies médiocres, beaucoup de déboires et pas mal de honte. Après avoir couru le monde pendant dix ans, ma santé était ruinée ; je me sentais déjà vieilli, malheureux et impuissant, mais je n'avais pas encore perdu mes illusions.

Aussi mon séjour à Saint-Maury n'était-il nullement une retraite ni une abdication. Je ne l'envisageais que comme une pause de quelques mois qui me permettrait de refaire mes forces avant de reprendre ma course, plus mordant, plus anxieux, plus torturé que jamais par le prurit de vivre.

Au bout d'une semaine, le cri du fou m'était devenu familier. Pourtant, à chaque fois, j'en avais le cœur étreint, et quelque fût le lieu où je me trouvais quand il retentissait, un frisson me courait dans le dos. Le matin je m'éveillais avant lui, afin de n'être pas surpris dans mon sommeil par cette voix de cauchemar ; les yeux ouverts dans mon lit, je l'attendais pour me lever. Le soir, j'essayais de le fuir par de longues promenades au fond des bois ; mais au premier violet du crépuscule, malgré moi, je tendais l'oreille anxieusement pour en recueillir l'écho assourdi. Ma journée avait pour pôles ces deux cris, c'est-à-dire deux émotions mystérieuses, deux frissons qui de l'oreille me tombaient dans la moelle et me procuraient une singulière exaltation.

Quel est cet homme ? Pourquoi crie-t-il ? Pourquoi est-il fou ? Ces questions, je les posai au laitier, au boulanger, à la buraliste, au curé, au boucher, au facteur, à ma femme de ménage, bref à tout le village. Mais personne ne savait rien de précis. Tous ces braves gens préféraient d'ailleurs éluder mes questions, car parler du fou leur causait un obscur malaise. Depuis deux ans qu'il habitait le village, chacun s'arrangeait pour l'éviter, pour ne pas passer devant chez lui ; on le considérait comme un drôle d'homme, un peu inquiétant, qu'il valait mieux faire semblant d'ignorer.

J'appris pourtant qu'il habitait an fond de la vallée, à la sortie du village, près de la ferme de Broux, une maison de quatre pièces avec un grand jardin en friches qu'on appelait *La Blaterie*. Il avait acheté cette propriété deux ans plus tôt et depuis lors il y vivait seul, sans recevoir jamais une visite, sans même une femme pour faire son ménage.

Pour expliquer, pour excuser la quarantaine qu'on lui faisait subir, on l'accusait de n'être pas causant ; c'était le seul grief précis que le village avait contre lui, car ses hurlements, personne maintenant n'y prêtait plus attention.

Tout le monde l'appelait le Fou, ou parfois le Marin, parce qu'il était toujours vêtu d'une tunique bleue et coiffé d'une casquette rigide ; d'ailleurs la postière affirmait qu'il avait été capitaine au long cours et qu'il recevait chaque trimestre d'une compagnie d'Assurance anglaise une rente assez coquette.

Ces détails piquèrent ma curiosité. J'imaginai un personnage romanesque, un de ces héros d'aventures comme je les aimais, un frère, quoi! qui pourrait réchauffer par des confidences merveilleuses mon courage et mon ardeur à courir le monde. Saint-Maury, simple escale de repos sur la route dangereuse que j'avais choisi de suivre, allait peut-être me valoir la chance d'une de ces rencontres qui bouleversent parfois la destinée des jeunes aventuriers. Je ne sentais plus ni ma fatigue ni mon délabrement physique. On me signalait la présence d'un fou, ancien capitaine au long cours, qui poussait deux cris par jour, et déjà je ne pensais plus qu'à reprendre la mer. Décidément la littérature avait fait en moi d'irréparables dégâts.

Aussi, un matin, décidai-je d'aller rendre visite au fou. S'il me jetait à la porte, tant pis! Je n'avais pas d'autre moyen pour faire sa connaissance que de tenter une démarche directe.

Sa maison au bord de l'Yveline était une ancienne dépendance de la ferme de Broux. Aménagée en villa, elle semblait maintenant honteuse de ses volets verts et de son perron postiche. Sur le devant un bout de cour la séparait de la rue; derrière, un assez grand jardin s'étendait le long de la rivière. Ni la cour ni le jardin n'étaient entretenus; les herbes folles y poussaient vigoureusement et aucun animal domestique

ne donnait à ces lieux un peu de douceur villageoise.
Ni chien, ni chat, ni poules. Seules des pies dansaient
familièrement sur les pavés de la cour. Sur le toit de
tuiles de la maison sans étage un arbuste avait poussé,
plumet maigre qui indiquait les sautes du vent. Les
fenêtres et la porte étaient surélevées, à hauteur des
tombereaux qui portaient les sacs de grains, car ce
petit pavillon était un ancien silo, et le perron postiche
remplaçait l'échelle qui donnait accès jadis à ce grenier
sans huis.

En arrivant devant la villa, j'aperçus le fou qui se promenait dans la cour. C'était un petit homme très droit,
la quarantaine largement dépassée, cambré dans une
vareuse bleue marine de coupe militaire ; un pantalon
de velours, trop large et sans plis, tombait sur ses pieds
chaussés de gros sabots. Sous la casquette à visière, un
visage un peu gras, aux traits lourds, les ailes du nez
tombant dans la bouche, les joues affaissées ; mais un
magnifique menton, dur, saillant, bien arrondi, main-
tenait le masque et lui conservait une noblesse certaine ; les yeux verts, immobiles sous les sourcils blonds,
semblaient retenus par une contemplation intérieure ;
ils avaient comme le regard vacant.

J'eus l'impression que j'avais déjà rencontré cet
homme quelque part. Mon premier mouvement fut
de m'éloigner sans engager la conversation ; mais j'eus
honte de ma timidité, et m'approchant de la grille :

— Salut, capitaine ! fis-je.

— Bonjour, Monsieur, répondit-il poliment.

— Beau temps, mais brise fraîche, continuai-je. Je connais des coins de mer où une fraîche comme celle-là, surtout vers l'équinoxe de printemps, suffit à faire une tempête.

— Oh ! vous savez, moi, la mer… fit le fou avec un geste d'indifférence.

— On m'avait dit que vous étiez marin. J'ai moi-même pas mal bourlingué. J'aurais été content de causer de la vague un peu avec vous.

— Vous êtes bien honnête, Monsieur. Pour ce qui est de causer, bien volontiers ! Car depuis deux ans que je vis dans ce village, je n'ai pas trouvé un seul chrétien pour s'intéresser à ma solitude. On dirait, ma parole, qu'ils ont tous peur de moi. Vous êtes étranger, à ce que je vois, en villégiature. Saviez-vous qu'on m'appelle le Fou ?

Il se mit à rire gentiment, sans colère, sans amertume.

— Je ne suis pas fou du tout. J'ai seulement des souvenirs qui me mangent le foie, et ça fait mal à crier. Chacun a ses petites infirmités, pas vrai ? Moi j'ai les miennes ; mais dans ce sacré patelin ils ne peuvent pas les supporter. C'est pas gai, bien sûr, de vivre à l'écart comme un chien galeux. Mais je m'y suis fait. Je n'espère pas le bonheur ; seulement l'oubli. Si vous êtes en vacances dans le pays, venez me voir de temps en temps, nous bavarderons. Mon nom est capitaine PetitGuillaume.

— Ah! par exemple! fis-je. C'est vous l'ancien capitaine du « *Libertador* ». J'ai suivi votre procès il y a trois ans, en qualité de journaliste, devant le Tribunal maritime de Brest. Quelle extraordinaire affaire!

— Devant le tribunal, je n'ai rien dit; j'avais mes raisons. Mais, si ça vous amuse, je vous raconterai toute l'histoire, et vous jugerez si je pouvais résister à une telle tentation de l'Aventure.

— C'est tout jugé, m'écriai-je. Vous ne pouviez pas. Moi, d'ailleurs, je n'ai jamais pu. Il n'y a que ça qui compte pour moi: l'Aventure. Mais hélas! je suis en train de rater ma carrière d'aventurier, tandis que vous… J'envie votre chance.

Mon naïf enthousiasme fit sourire PetitGuillaume.

— Vous déchanterez, dit-il. L'Aventure est ennuyeuse comme la pluie, croyez-moi, et après la pluie ne vient pas toujours le beau temps. Mon cas en est la meilleure preuve.

— Bah! au lieu de me faire la morale, racontez-moi plutôt votre histoire. Ça vous permettra de revivre quelques bons moments…

— … Et à vous, d'écrire quelques articles sensationnels, monsieur le journaliste, sur une affaire qui ne manque pas de pittoresque, dont quelques-uns des acteurs sont encore vivants, et qui fut, à l'époque où elle éclata, étouffée volontairement pour ne pas créer d'incidents diplomatiques. Beau travail pour un reporter en vacances !

— Rassurez-vous. Je ne suis journaliste que d'occasion. Je n'aime point trop ce métier d'indiscret. C'est bien pour mon seul compte que je me montre curieux.

— Eh ! bien, soit ! Revenez quand vous voudrez, nous bavarderons.

Depuis cette première rencontre, je devins l'ami du capitaine PetitGuillaume, et pendant tout le temps que dura mon séjour à Saint-Maury, j'allai lui rendre visite chaque jour. Ah ! non, il n'était pas fou. C'était un homme paisible et sociable. Seulement il était entré dans le village comme un corps étranger, et cet organisme sain, ne pouvant l'assimiler, s'efforçait de le rejeter. La calomnie, les préjugés, la morale, la peur du mystère, toutes les composantes qui forment l'unité spirituelle et physique d'un village français entraient en jeu contre PetitGuillaume, ce blessé de l'Aventure, coupable de porter en lui les germes destructeurs de la cité et de la société. Cette malédiction, je la connaissais pour l'avoir subie moi-même. J'en tirais force et honneur. Mais PetitGuillaume, qui ne cherchait plus qu'une masse humaine accueillante où se fondre, où effacer ses différences, où rentrer dans le rang, en souf-frait. Il me confia qu'il aurait voulu se marier, fonder une famille, cultiver son jardin, devenir un citoyen, aspirer même à la magistrature municipale ; mais à cause de ces deux hurlements quotidiens qu'il ne pouvait pas retenir dans son gosier, tout espoir de vie normale lui était interdit.

— Et dire, ajoutait-il, que parmi tous ceux qui furent mêlés à cette malheureuse aventure, c'est peut-être moi qui ai la meilleure part. Ah ! mon jeune ami, ne cédez jamais à ce démon qui veut nous entraîner hors des sentiers battus, nous forcer à vivre une existence excep-tionnelle. C'est toujours l'enfer qu'il nous prépare.

Je n'en croyais rien. J'écoutais avidement le récit que me faisait le capitaine, mais je refusais de profiter de son expérience, et son aventure servait de tremplin à mon imagination, me rejetait plus vigoureusement encore vers la folle existence qui m'était chère. Toute l'affaire s'était déroulée dans des pays que je connais-sais bien, où j'avais moi-même tramé des jours diffi-ciles, mi-aventurier mi-journaliste. À l'époque où je m'y trouvais, l'équipée du « *Libertador* » était encore récente et occupait toutes les conversations ; mais il était déjà difficile de démêler la vérité de la légende. En outre, l'ordre du gouvernement était d'étouffer l'affaire, et au Venezuela on ne badinait pas alors avec ces consignes.

Rentré en France, j'avais pu assister au procès. Mais là non plus on ne tenait pas à ébruiter l'affaire. La presse en parla à peine, et tout se passa avec une discrétion telle que ma curiosité fut loin d'être satisfaite. C'était donc une chance inespérée pour moi de rencontrer à Saint-Maury le capitaine PetitGuillaume et d'entendre de sa bouche même le récit de son aventure.

Voici d'ailleurs en quels termes il me raconta l'affaire.

RÉCIT DU CAPITAINE
PETITGUILLAUME

Au mois de juillet 1930, commença PetitGuillaume, je me trouvais à Hambourg. J'avais en poche mon brevet supérieur de capitaine au long cours, mais pas de commandement. Bien que bon marin, la Fatalité avait voulu que je perdisse quatre navires en deux ans. J'y avais gagné une fâcheuse réputation et le surnom de Mauvais Œil. Depuis lors, de Dunkerque à Bordeaux pas un armateur ne m'aurait confié la moindre coque de noix. La race superstitieuse des gens de mer est ainsi.

Pour essayer de me refaire une chance, je partis donc pour Hambourg. Je savais que ce port était le grand centre de certain trafic suspect vers l'Insulinde et que, pour ces voyages au fret douteux, les bons capitaines étaient rares. Il n'y avait guère de concurrence, car la mission était délicate, l'Amirauté britannique vigilante, et l'on risquait soit d'être envoyé par le fond sans sommation par une canonnière, soit de finir ses jours pendu. C'est vous dire que mon mauvais œil n'augmentait guère les risques d'une telle navigation.

Depuis une semaine, je traînais dans la Ville Libre à la recherche d'une occasion pour m'aboucher avec l'un de ces hardis armateurs. Mais le hasard me proposa une autre destinée. Qui, dans ma situation, l'aurait refusée ?

Vous allez voir comment les choses se sont engrenées.

Dans je ne sais plus quel bar sur le bord du grand bassin, je m'étais attablé devant un pot de bière. La salle était fort longue mais assez étroite ; c'était une espèce de couloir, deux rangées de tables et de bancs entre lesquelles il y avait tout juste passage pour la servante. Là-dedans il faisait frais et assez obscur. Toutes les tables étaient occupées par des gens du port, marins, dockers, commis d'entrepôt, quelques mauvais garçons sans doute aussi, mais pas de filles. C'était un bar honnête où l'on venait après le travail, et comme il était environ six heures du soir, la salle était bondée. Les conversations, le choc des chopes, les saluts et les commandes, tout cela faisait un beau vacarme que dominait pourtant de temps en temps le rire strident d'un perroquet enchaîné au-dessus du comptoir. Les accès de gaîté de l'oiseau se terminaient par des imprécations du plus comique effet. « Mein Gott! » hurlait-il d'une voix perçante en se dandinant sur son perchoir. Puis il se radoucissait, et me fixant de son œil rond en bouton de bottine, à la fois féroce et stupide, il poussait deux ou trois « Hock! » gutturaux.

Quand la bagarre éclata, ce fut ce damné oiseau qui tout de suite l'envenima par ses cris d'écorché. Il se mit à dégoiser son répertoire d'une façon désordonnée et à hurler de telle sorte que le bar, pris de panique, chavira et que tout entra en danse.

Là-bas, au fond de la salle, un grand diable ossu, bien retranché derrière sa table renversée, tenait en respect une demi-douzaine de gaillards rageurs. Et pan! et pan! Des deux poings, des deux pieds, il cognait dans le tas. Il serait venu facilement à bout de ses adversaires sans ce maudit perroquet qui excitait les autres clients à se jeter dans la bagarre.

— Numérotez vos gueules! cria soudain le grand diable en français.

« Tiens! Tiens! » pensai-je, soudain intéressé à l'affaire, voilà un compatriote en bien mauvaise posture ».

Pour gagner la porte, en effet, il lui fallait traverser toute la longueur du bar, ce couloir d'une trentaine de mètres resserré entre les tables, obstrué maintenant par une cohue d'enragés.

Impossible de laisser ainsi assommer un compatriote. Tant pis, me dis-je, à la rescousse! Et de table en table je courus jusqu'au lieu de la bataille. Le perroquet salua mon intervention de cris forcenés qui augmentèrent encore l'ardeur des combattants.

— Tiens bon, mon gars, v'la du renfort, criai-je en sautant à côté du Français.

J'empoignai un banc et fauchai la première ligne d'assaillants, ce qui nous donna une seconde de répit.

— Capitaine PetitGuillaume, natif de Rabeuf-sur-Ardenne, dis-je.

— Jérôme Le Guellec, natif de Roscoff, répondit mon compère.

C'était cocasse ces présentations en pleine mêlée, mais entre gens de mer on a l'habitude de se nommer, soi d'abord par orgueil, puis son lieu de naissance pour se donner des repères.

La bataille reprit de plus belle. Mon renfort était de peu de poids en face du nombre qui nous submergeait. Impossible de faire un pas en avant sans tomber sur cinquante poings durs, impossible de reculer sans se heurter au mur. Le visage sérieux, Jérôme s'appliquait de son mieux. Ses grosses mains pleines d'os partaient comme des boulets dans toutes les directions ; mais à force d'écraser des nez, des oreilles, de casser des dents, de heurter des crânes, des mentons, elles étaient douloureuses et saignaient.

— Mauvais, mauvais ! grogna-t-il. Ces Frigolins ont la tête plus dure que du marbre, et ils sont mordants

comme des chiens de meute. Si nous n'arrivons pas à gagner la porte, ils vont faire de nous de la chair à saucisse.

— À mort le Franzoze ! hurlait la foule. Chien de Welche ! Jetez-le à l'eau !

— Je ne suis pas Français mais Breton, dit Jérôme entre ses dents à mon intention.

Et pan ! et pan ! les coups pleuvaient que c'était un bonheur de voir pareille averse. Dans le bar plus une table debout ; les bancs, les chaises, les bouteilles, les verres voltigeaient. Derrière le comptoir, une commère levait les bras au ciel.

— Police ! Police ! criait-elle. Ils vont tout casser chez moi.

Mais il ne restait déjà plus rien à casser dans le bar sinon des gueules qui, toujours plus nombreuses, se pressaient autour de nous. Jérôme en démolissait le plus possible, moi je tenais aussi ma place dans ce jeu de massacre mais nous ne pouvions suffire à la besogne.

— Ohé ! Martin ! appela Jérôme.

Mais il y avait beau temps qu'il n'était plus question de ce compagnon dans la bagarre. Au premier coup de poing il s'était effondré, et sans doute maintenant était-il en train de faire trempette dans l'eau du grand bassin.

Notre seule chance de nous en tirer vivants, c'était que les Schupos arrivassent. Mais Jérôme ne souhaitait guère cette éventualité, car il avait de bonnes raisons de ne pas entrer en conversation trop intime avec la police.

En dernière ressource, près de succomber, il eut une inspiration de génie : il gueula à pleine voix l'appel fameux qui, en quelque point du monde qu'on le pousse, a si peu de chance de rester vain : « À moi la Légion ! »

— On y va, répondirent aussitôt deux voix dans le tumulte.

Nous eûmes alors l'agréable surprise de voir deux de nos adversaires prendre subitement notre parti. Ce secours providentiel changea la face des choses. C'était justement les deux plus acharnés, un gros homme à barbe en chandail bleu, et un jeune rouquin balafré. Ces nouveaux alliés s'employèrent sans autre explication à nous dégager et tombèrent à bras raccourcis sur les assaillants. Cette volte-face inexplicable jeta le désarroi dans l'autre camp. En un clin d'œil les rôles furent renversés. Avec les deux lascars à la rescousse, nous reprîmes l'offensive. Et v'lan ! et v'lan ! et j'te pousse et j'te bourre.

Cependant un remous se produisait du côté de la porte et l'on vit apparaître un homme trapu comme une borne, armé d'un gourdin, et qui criait « Ousqu'il est çui-là qu'a dit : À moi la Légion ? »

— Ho ! fit Jérôme.

— Ça va.

Les assaillants désemparés se battaient plus molle-
ment. En quelques minutes, avec nos trois alliés, nous
eûmes repoussé tout le monde dehors et nous restâmes
maîtres du terrain. Sur le seuil du bar, chacun cracha
par terre, s'essuya les mains, remonta avec les coudes la
taille de son pantalon, et on entama la connaissance…

— Ouf! dit le barbu.

— Sotte histoire! dit le rouquin.

— Quoi c'est qu'y a eu? interrogea le petit trapu.

— Merci pour l'aide, fit Jérôme, et à charge de revanche. J'offre une tournée.

Nous rentrâmes tous les cinq dans le bar. On releva
une table et deux bancs.

— Ho! la mère! Cinq anisettes!

La vieille en geignant, pleurant les dégâts faits dans
son établissement, apporta cinq verres poisseux et les
remplit à ras bord.

— C'est-y qu'vous êtes des sauvages, bougonnait-
elle, pour tout casser chez une honnête femme comme
moi. Vous n'êtes pas dans un mauvais lieu ici. Pour les
bordels, c'est la rue au-dessus, monsieur l'amiral.

Et désignant Jérôme :

— C'est pour toi que j'parle, eh! l'grand fripé! C'est
pas des manières convenables de provoquer de tels
scandales. Si tous les Français y sont pas mieux polis
que toi, ça doit être du beau dans vot' Paris.

Le grand barbu, menaçant, se dressa à demi :

— Ça va, la vieille, ferme ça et va pleurer près de ta fontaine. On a à causer entre hommes ici.

— J'dis pas ça pour vous faire injure, M'sieu Kock, dit la vieille en battant en retraite. Mais c'est rapport à la casse qui s'est produite et qui m'coûte au moins les recettes de trois dimanches.

— Halte-là, m'écriai-je. J'ai encore un compte à régler ici. Tout ce qui est arrivé, c'est la faute à ton sale oiseau. Je vais lui tordre le cou.

Derechef la vieille se mit à geindre et à supplier sur un ton suraigu : « Laissez Pomper ! (Il s'appelait Pomper, le salaud). C'est le seul souvenir qui me reste de défunt mon mari qui a péri en mer voilà deux ans. Pitié pour Pomper ! »

Je sautai sur le comptoir et empoignai le perroquet qui, cramponné à sa barre, ridicule de frayeur, vociférait « Dummkopf ! Schwachkopf ! » Je m'apprêtai à lui serrer le kiki sans remords quand un miracle se produisit ; Pomper d'une voix enrouée d'angoisse se mit à crier en bon français : « À moi la Légion ! » Stupéfait, je le lâchai ; aussitôt d'un ton de victoire il reprit de plus belle : « À moi la Légion ! À moi la Légion ! »

Ce fut un tonnerre de rires. L'oiseau malin avait trouvé dans son affolement le seul moyen d'échapper à la juste punition que je lui réservais.

— Pomper a de la chance d'avoir servi à la Légion,

dis-je en sautant à terre. Eh! bien, à la santé de la Légion!

Nous trinquâmes tous les cinq, puis d'un coup, hop! le coude levé, la tête jetée en arrière, vidâmes nos verres. Les langues claquèrent contre les palais. Le barbu d'un revers de main s'essuya les moustaches.

— Alors comme ça, dit Jérôme, vous êtes des anciens de la Légion.

— À peine un ancien, répondit le rouquin, car il y a six mois j'avais encore les grenades vertes à mon col. C'est pas comme Monsieur Kock qui, lui, était à la Légion avant la guerre.

Le barbu que tout le monde appelait avec respect Monsieur Kock inclina la tête en signe d'approbation.

— Moi, dit le petit homme trapu, j'ai fait la guerre dans la Légion. Je suis Danois. Mon nom est Peter Borel et je suis officier mécanicien sur la « *Ville de Copenhague* ». Ça fait toujours plaisir de retrouver des copains d'Afrique.

— Moi, fis-je timidement, je n'ai pas l'honneur d'avoir été légionnaire. Mais partout où l'eau salée se lèche à la terre, on connaît PetitGuillaume et on vous dira que c'est un bon compagnon.

— Tu es un frère, s'écria Jérôme qui pourtant ne manifestait pas facilement sa sympathie.

— Une autre tournée, commanda M. Kock.

De nouveau nous trinquâmes.

— À la santé de PetitGuillaume, nom de Dieu!

Cette fois la connaissance était bien faite, et une franche cordialité s'installa parmi nous. Les souvenirs s'allumèrent les uns aux autres. Ils n'en finissaient plus de se remémorer Bel-Abès, la caserne Viénot, le soleil d'Afrique, le baroud et les filles de là-bas. Les tournées succédaient aux tournées. Quelques clients timidement commençaient à rentrer dans le bar et prêtaient une oreille complaisante à la conversation des quatre hommes. « C'est des anciens légionnaires », murmurait-on.

Tout-à-coup Jérôme sursauta:

— Et Martin? s'écria-t-il. Ils ont dû le flanquer à l'eau.

— Le petit morveux qui t'accompagnait avant la bagarre? demanda M. Kock

— Justement.

— Allons voir, dit Peter Borel. Il n'est peut-être pas encore noyé.

Dehors un bon soleil de crépuscule chauffait encore les rails des tramways, les bittes de fer, les hangars en tôle ondulée. Pieds nus, des gamins se poursuivaient le long des bassins sur la pierre chaude des quais. Des petits Fritz aux cheveux rasés, sérieux et batailleurs, comptaient des billes avec méfiance. Des fillettes au visage mou, gonflées de bière et de patates, secouaient leurs charmes précoces en sautant sur des marelles. Tout chantait les vacances dans ce port de Hambourg construit comme un jouet métallique, propre et sonore, animé, accueillant, où seules déplaisent d'emblée les eaux sales de l'Elbe.

— Pauvre Martin ! dit Jérôme. Finir ses jours dans une eau si malpropre ! Dans la vraie mer, passe encore ! Mais dans ce cloaque... Il est vrai qu'il ne vaut pas la corde pour le pendre, et qu'il n'était vraiment pas digne de se noyer dans l'eau salée. Pauvre Martin, quand même ! Noyé pour noyé, sa mère aurait mieux fait de le faire périr d'abord dans l'eau du bidet.

Nous marchions en silence, mal à l'aise à la pensée de la fin tragique de ce malheureux Martin. En face de nous, au bout du grand bassin, les grues du Vulcanwoerke avec des coups de sifflets et de grands ahans de chaînes crissantes accomplissaient leur tâche servile et monotone. Des silos mugissant de plaisir humaient avec gloutonnerie des grains et des arachides.

— Si on l'avait jeté à l'eau, ça commencerait à se savoir, murmura M. Kock.

— Voyez là-bas, fit Jérôme soudain. Un attroupement ! Ce doit être lui qu'on repêche.

En effet, à l'extrémité du bassin, une cinquantaine de personnes se pressaient dans l'ombre du bâtiment de la Douane. Les enfants se faufilaient entre les jambes des badauds. Les derniers rangs se haussaient sur la pointe des pieds pour mieux voir.

Jérôme piqua un cent mètres dans la direction de l'attroupement, suivi du rouquin et de M. Kock qui, un peu bedonnant et essoufflé, fut aussitôt distancé. Quant au Danois, il ne fallait pas songer à le faire courir. Court sur pattes, il avait en outre les jambes tellement arquées que lorsque ses talons étaient joints on pouvait faire passer un tonneau entre ses genoux. Ce vice de conformation lui donnait une démarche roulante qu'il ne pouvait en aucun cas accélérer jusqu'à la course. Il portait, comme on dit, son sexe entre parenthèses.

En arrivant au lieu de l'attroupement, nous entendîmes distinctement la voix de Martin qui disait :

— Suivez bien mes mouvements. La noire, la rouge, la noire. Je pose les cartes. Où est la rouge ?... Non, Monsieur, c'est la noire ; vous avez perdu. Je recommence, ouvrez bien vos yeux. Remarquez qu'il vous suffit de regarder pour savoir où je pose la rouge. Aucun truc. Que votre œil soit aussi vif que mon geste, et à coup sûr vous avez gagné. Suivez-moi bien. La noire, la rouge, la noire. Où est la rouge ?... Non, monsieur, c'est le roi de trèfle. Vous avez mal regardé, il ne vous en coûte que deux marks...

Un léger flottement se produisit parmi les badauds. Quelques-uns commençaient même à battre discrètement en retraite. Sans doute, malgré leur application à suivre les mouvements de Martin, se lassaient-ils de voir toujours gagner le bonneteur. Jérôme en profita pour se faufiler au premier rang.

— Ah! farceur, dit-il, c'est comme ça que tu fais le camelot pendant qu'on te cherche au secours aux noyés.

— Tais-toi donc, s'écria Martin. Tu vois bien que tu effarouches les clients. Tu fais toujours des gaffes… La partie continue, messieurs. Voyez comme c'est simple. Avec un peu d'attention un enfant de deux ans gagnerait une fortune à ce jeu. La noire, la rouge, la noire. Où est la rouge?…

Accroupi contre le mur, Martin plaçait avec dextérité ses cartes sur le pavé. L'astucieux bonneteur avait déjà les poches pleines de billets et il ne se souciait pas d'abandonner une si fructueuse clientèle. Mais Jérôme avec autorité posa ses pieds sur les cartes, empoigna Martin par les cheveux et le remit debout.

— Suffit pour aujourd'hui, dit-il. J'ai des amis à te présenter.

Puis se tournant vers le cercle des badauds, Jérôme lança ses bras en avant comme pour effrayer une volée de moineaux.

— Brou! Allez, vous autres, rendez-nous de l'air. On vous a assez vu pour aujourd'hui.

Il prit Martin par l'oreille et le tira à l'écart.

— Tâche d'être à la hauteur, jeune gorille. J'ai trouvé des amis sérieux.

— Entendu! Mais sauf ton respect, mon oreille n'est pas un crochet à saucisses et tes doigts sont un ornement bien pesant pour son lobe délicat.

— La ferme! Tu ne vas pas commencer tes discours. Tiens je te présente mes nouveaux amis : le capitaine PetitGuillaume, un frère ; M. Kock, un rude homme comme tu peux voir ; M. Schutz qui a les cheveux rouges et le cœur de braise ; et enfin voici qui s'avance M. Borel, officier mécanicien. Maintenant, vermine, salue bien bas : trois de ces messieurs sont anciens légionnaires comme moi. Et sans ces valeureux camarades, moi, Jérôme Le Guellec, natif de Roscoff, j'aurais été assommé proprement.

Martin s'inclina bien bas, d'une manière qui parut ironique à M. Kock et lui fit froncer les sourcils.

— Dis-moi, petit, et toi, qu'es-tu devenu dans cette bagarre ?

— Mon Dieu, je m'en suis tiré de mon mieux. Au premier coup-de-poing, j'ai fait le mort, puis je me suis glissé à plat ventre vers la sortie. Je n'étais pas inquiet pour Jérôme. Depuis cinq ans que je le connais, il a toujours su se tirer tout seul des plus mauvais pas. En attendant son retour, j'ai appris le bonneteau à ces imbéciles…

— Vraiment courageux! fit M. Kock en crachant par terre à travers sa barbe.

Quand M. Kock était en colère, sa barbe s'étalait

en éventail, et il mangeait ses lèvres. Ce visage sans bouche, couvert de poils, n'était guère rassurant.

Jérôme, mécontent de la mauvaise impression produite par Martin sur ses nouveaux amis, tâcha de raccommoder les choses.

— Tu sais, M'sieu Kock, dit-il, il ne faut pas en vouloir à ce gamin. Il est brave comme un poulet, mais astucieux comme un singe et pas mauvais cheval au fond. Après une solide correction il devient tout à fait supportable. Moi j'ai l'habitude de le battre. Si le cœur t'en dit...

M. Kock grogna une approbation, mais après réflexion, il ne profita pas de l'offre que lui faisait Jérôme. Sans doute s'était-il assez battu et ne voulait-il pas endommager davantage ses phalanges.

Histoire de fêter dignement notre nouvelle amitié, nous décidâmes de terminer la nuit ensemble par une virée à Saint-Pauli. Entre hommes, voyez-vous, on ne fait vraiment connaissance que dans la bagarre et dans l'ivresse. La bagarre permet de s'apprécier à sa juste valeur, son poids de mâle et son courage ; l'ivresse ouvre des horizons plus intimes sur les qualités de cœur d'un compagnon et sur ses instincts secrets. L'amitié, pour être solide, doit passer par ces épreuves ; nous avions eu la première par hasard, nous organisions la seconde. Et c'était bien ainsi ; car, croyez-moi, sans la bataille et sans l'alcool, il n'y a jamais autre chose entre les hommes que contact superficiel, relations mondaines, hypocrisie.

Tenez, par exemple, avant notre nuit de saoulerie à Saint-Pauli, mes camarades ne me connaissaient qu'à moitié; eh bien, le lendemain, ils avaient tous compris que j'étais peut-être un brave gars mais que sûrement j'avais le guignon et que je n'avais pas volé mon sobriquet de Mauvais Œil. Ça n'enlevait rien à leur estime ni à leur affection pour moi, mais ils savaient, par inconsciente révélation, que je leur apportais la poisse. Ce sont des choses qui ne s'expliquent pas. Mais c'étaient des chics gars et ils se sont comportés avec moi comme s'ils n'avaient rien deviné; ils n'ont même pas hésité à jouer en ma compagnie une drôle de partie sur le *Libertador*. Voyez-vous, on a toujours tort, même par amitié, de braver le mauvais œil. Et ce mauvais œil, je l'ai depuis l'âge de douze ans; c'est du moins à cet âge que je m'en suis aperçu pour la première fois. Dois-je vous raconter comment? N'est-ce pas trop parler de moi?

Mon père était bedeau à l'église de Rabeuf-sur-Ardenne. Veuf depuis ma naissance, c'était un homme d'une tristesse et d'une sévérité sans éclaircie. Il vivait dans la peur du péché. Je peux dire que j'ai été élevé sous la menace du feu éternel : à la moindre peccadille, l'enfer m'était promis. Aussi, ayant à peine atteint l'âge de raison, j'avais déjà perdu l'espoir. J'étais certain de ne pouvoir échapper à la damnation, et je m'étais fait à cet affreux destin que j'envisageais même avec une espèce d'amère délectation. Un des bons pères chez lesquels je fus envoyé un peu plus tard pour faire mes études me blâma fort de cette tournure d'esprit et me reprocha d'être atteint de jansénisme. Je n'ai jamais su au juste ce qu'était cette maladie ; toujours est-il qu'elle était chez moi incurable ; d'ailleurs je la tenais de mon père qui était un saint homme et je ne comprenais pas bien que l'on voulût m'en guérir.

Bien entendu, j'étais destiné à devenir prêtre. Mon père estimait que c'était la seule profession où l'on eût une frêle chance de faire son salut. Aussi avait-il obtenu pour moi une bourse au petit séminaire de Rouen.

Aux vacances, je venais retrouver mon père à Rabeuf. Je servais la messe au curé, un brave homme réjoui qui s'efforçait, en vain d'ailleurs, de me persuader que je n'étais pas forcément damné quoiqu'en dise mon père. C'est pendant un de ces congés que j'eus la révélation du mauvais œil.

Sur la place de l'église je contemplais, le nez levé, un ouvrier qui avait grimpé sur le clocher pour réparer la girouette endommagée par le noroît d'hiver. « Cet homme va tomber, me disais-je. D'abord rouler sur l'ardoise en pente, puis la chute à pic dans le vide, et

flac! comme une tache d'encre épaisse sur le parvis ».
Remarquez bien que je ne désirais pas la chute de cet
homme, je ne la voulais pas, je la craignais même.
Mais je le regardais avec épouvante, avec la certitude
qu'il allait tomber, et il me semblait que c'était justement mon regard qui le tirait en bas, qui allait le faire
glisser. Si j'avais baissé les yeux à temps, il ne serait
pas tombé. Mais c'était plus fort que moi, mon regard
restait attaché à ce point noir au sommet du clocher,
acharné à créer derrière cette nuque le vide mortel qui
aspire… Deux minutes plus tard l'ouvrier, les bras en
croix, tombait à la renverse et venait s'écraser presque
à mes pieds. Je restai là stupide, figé, sans surprise
mais non sans horreur. La puissance du mauvais œil
venait de se révéler manifestement, et dans mon âme
d'enfant pieux cette faculté de porte-guigne se confon-
dait avec ma prédestination de damné. Depuis lors le
guignon m'a fidèlement suivi; j'ai apporté le malheur
partout où j'ai passé. Je ne sais pas si je suis damné, car
aujourd'hui je ne crois plus guère à l'enfer; en tout cas
je n'ai pas volé mon surnom de Mauvais Œil.

Mais voilà que je me laisse attendrir par des souvenirs d'enfance et que je vous raconte des bobards
de nourrice. Revenons à Hambourg où se prépara ma
dernière aventure, celle du *Libertador,* celle qui vous
intéresse tant vous aussi, jeune monsieur, que vous

n'hésitez pas pour l'entendre raconter à venir gâcher vos belles après-midi de vacances auprès d'une vieille épave comme moi.

Le capitaine PetitGuillaume cligna de l'œil malicieusement — le mauvais sans doute — puis continua son histoire :

Il faut maintenant que je vous fasse connaître les hommes qui montèrent avec moi à bord du *Libertador*. Ils en valent la peine, savez-vous. Au tribunal de Brest on ne prononça même pas leurs noms ; ils ne figuraient ni sur le rôle d'équipage ni sur la liste des passagers ; on fit semblant de les ignorer, et ce fut mieux ainsi car comme dit un sage proverbe, excusez les termes crûs, plus on remue la merde plus ça pue.

Jérôme Le Guellec était plutôt d'un naturel doux. Il n'en venait aux mains qu'après avoir épuisé tous les arguments pacifiques. Mais comme il manquait d'éloquence et qu'il trouvait ses mots difficilement, il clouait leur bec aux beaux parleurs d'un coup-de-poing sous la mâchoire. Devant lui, pour s'en tirer sans dommage, il fallait d'abord se taire. Quand il avait épuisé son vocabulaire et expliqué ses raisons, on finissait toujours par s'entendre. Lui couper la parole, c'était s'attirer une grêle de coups, et en fin de compte, comme il était toujours le plus fort, se faire assommer proprement.

Mais quand il avait bu, Jérôme était beaucoup moins facile à vivre. L'humanité se divisait alors pour lui en deux catégories bien distinctes : les gueules sympathiques et les sales gueules. Ces dernières étant beaucoup plus nombreuses que les premières, c'était un beau massacre dès qu'il avait un verre dans le nez. Sans provocation, avec une application méthodique et silencieuse, il cassait toutes les sales gueules qu'il rencontrait. En quelque lieu qu'il se trouvât, il s'approchait de sa victime en roulant bord sur bord, et à bonne portée lui envoyait son poing en pleine figure.

Toute la soirée se passa à ce gentil jeu de massacre. Le quartier Saint-Pauli retentissait des clameurs furieuses poussées par les clients de tous les dancings où Jérôme avait ainsi provoqué des bagarres. De bar en bar, de bordel en bordel, le désordre huilant s'était propagé comme une traînée de poudre. On ne savait plus qui avait commencé. Dans les ruelles une meute de gens se poursuivait, s'accrochait, se battait. Les femelles hurlaient comme des truies qu'on égorge. Les schupos, débordés, matraquaient à tour de bras sans pouvoir rétablir l'ordre. Une véritable folie furieuse s'était emparée de tous les noctambules qui traînaient dans le quartier réservé. Les vitres des cafés volaient en éclats, les portes tambour arrachées jonchaient les trottoirs. Des coups de revolver pétaient dans toutes les directions. Les bordels vomissaient leurs putains, ivres de paniques, dépoitraillées, en chaussons de satin, qui criaient à plein gosier « Au feu ! À l'assassin ! ». Par bandes furieuses, les marins des diverses nationalités se ruaient dans les maisons, pillaient, saccageaient, puis s'ils se rencontraient, s'égorgeaient en bataille rangée.

Ce torrent humain qui roulait des injures et des coups n'avait pas réussi à entamer le carré solide formé par Jérôme, M. Kock, Schutz, Peter Borel et moi, et au milieu duquel se tenait prudemment Martin.

L'affaire avait commencé au « Zillertal » où Jérôme avait assommé un marin dont la tête ne lui revenait pas ; puis était venu le tour d'un gérant du « Tritcher », et c'est poursuivis par une meute féroce que nous avions fait irruption dans le « Grosse Freiheit » où la bagarre dégénéra en émeute. Les chevaux blancs qui servent dans cet établissement aux prostibules équestres, affolés par le vacarme, s'emportèrent, déposant rudement leurs gracieuses écuyères. Le public envahit la piste et la folie de carnage commença. Cinq minutes plus tard tout Saint-Pauli était en révolution.

Aux premières lueurs de l'aube, quand les renforts de police eurent réussi à se rendre maîtres du champ de bataille, on releva deux femmes éventrées, un marin soviétique réduit à l'état de limande, un honnête Hambourgeois dont la tête était entrée en force dans une bouche d'égout, et quatre-vingt-douze blessés. Les dégâts matériels furent évalués à un demi-million de marks. Mais on ne put jamais découvrir la cause de la folie sauvage qui avait secoué cette nuit-là le quartier réservé de Saint-Pauli.

Nous nous amusions comme des fous. Une nuit d'ivresse et de batailles n'avait pas réussi à calmer notre ardeur, et sortis indemnes par miracle de Saint-Pauli, nous décidâmes de continuer la fête dans les bars à matelots qui ouvraient leurs portes le long des quais. Nous entrâmes aux « Three Growns » où malgré l'heure matinale nous réveillâmes le piano mécanique en lui faisant avaler force pfennigs. Toute la quincaillerie musicale entra en danse, tout le clinquant des valses durement secoué sur un escalier de gammes ataxiques. M. Kock, la barbe en éventail, poussait des éructations de femme canon, cependant que Jérôme qui dansait avec Peter Borel semblait coltiner un fût de bière. Schutz, admiratif, bouche bée, contemplait Martin en train de compter soigneusement les marks qu'il avait dérobés dans la poche des blessés sur le champ de bataille.

Accoudé au comptoir, un grand monsieur vêtu d'une redingote, coiffé d'un feutre noir aux larges bords, nous contemplait avec mélancolie. Des moustaches grises et une mouche lui donnaient un air martial. Son port ne manquait pas de majesté et ses mains fines chargées de bagues dénonçaient un homme de grande race. Ses yeux noirs brûlaient de fièvre dans un visage de cire.

— Il ressemble à un cierge funéraire, murmura Martin à mon oreille. Il faut savoir qui est ce phénomène.

Il se leva avec gravité et se dirigea vers le comptoir où était accoudé l'homme noir.

— Monseigneur, dit-il en enlevant son bonnet et s'inclinant bien bas, qu'est-ce qui nous vaut l'honneur de votre illustre présence ?

L'homme noir cambra la taille, salua à son tour et d'une voix de stentor avec un fort accent espagnol :

— Monsieur, je cherche des hommes !

La voix vibra si fort que le piano mécanique, pour la première fois de sa vie intimidé, se tut. Les danseurs s'immobilisèrent et toutes les têtes se tournèrent vers l'inconnu.

— Approchez, approchez, jeunes gens, tonitrua l'homme noir en accompagnant son invitation d'un geste large. J'offre à boire.

À s'entendre traiter de jeune homme, M. Kock pâlit sous sa barbe, cependant que Peter Borel, plutôt flatté, souriait. Jérôme, vaguement indécis, s'approchait du comptoir les bras ballants, hésitant encore s'il allait casser la figure à cet homme bruyant ou lui faire des protestations d'amitié. Soudain il prit parti. Un naïf enthousiasme inonda son cœur d'ivrogne, et il poussa un formidable hourrah : « Vive le Prince Noir ! »

— Vous cherchez des hommes, s'écria-t-il. Foi de Breton ! nous en sommes et de durs !

— Eh bien, nous allons causer, fit celui que Jérôme avait si bien baptisé le Prince Noir. J'ai une proposition à vous faire.

Nous fîmes cercle.

— Mes enfants, commença l'inconnu d'une voix de tonnerre, je suis un conspirateur en exil. Il convient d'être discret. Je suis le célèbre général Gonzalès Clarriarte y Equipa, et voilà deux ans que je suis banni du Venezuela pour avoir tenté de rendre la liberté à mon malheureux pays qui gémit sous le joug d'un dictateur sanguinaire. Je cherche des hommes épris d'idéal qui consentent à tenter avec moi une suprême aventure. Notre devise doit être : la Liberté ou la Mort. Nous réussirons ou nous périrons. Soyez ces hommes et je vous récompenserai magnifiquement. J'ai mis toute ma fortune au service de cette grande idée. Avec moi vous vaincrez car je suis né sous la plus brillante des étoiles, et ma gloire passée pâlit devant ma gloire à venir. Je possède un superbe navire que j'ai secrètement armé. Il me manque un équipage et des soldats. Voulez-vous être ces hommes ?

Un silence gêné succéda à la harangue enflammée du général. Martin qui était le moins saoul de la bande se décida à parler :

— Je vais vous dire, mon général, c'est que le

Vézénéla on sait pas bien où ça perche, et la liberté on s'en tamponne le coquillard.

Le général poussa un soupir de lassitude et haussa les épaules.

— Vous n'êtes pas des hommes !

— De quoi ? fit Jérôme en serrant les poings.

Le général avança d'un pas vers Jérôme et le fixant de ses yeux brûlants :

— Je dis bien, cria-t-il d'une voix terrible, que vous n'êtes pas des hommes pour refuser la fortune et la gloire. Le moindre risque vous épouvante. Vous craignez pour vos teints délicats le grand souffle de l'aventure. Vous préférez traîner vos vies dans des bouges à matelots, vous enivrer de mauvais alcool, caresser des putains vérolées, plutôt que m'aider à faire de grandes choses dans un pays où les filles aux yeux de braise ramagent comme des oiseaux et où le soleil mûrit des fruits d'or sur les places publiques des villes.

— Qu'est-ce que c'est que c't'oiseau là, gueula Jérôme. Je ne comprends rien à ce qu'il raconte.

M. Kock dont le poil se hérissait éclata :

— Ce croque-mort insinue que nous ne sommes pas des hommes !

— Pas des hommes ? hurla Jérôme.

Dominant le tumulte la voix du général retentit de nouveau :

— Je dis bien que vous n'êtes pas des hommes !

— Nom de Dieu ! Je vais te prouver le contraire. Dis chiche.

— Je dis chiche que vous n'osez pas vous engager dans l'équipage du général Clarriarte y Equipa pour la durée de la révolution.

— Tenu ! cria Jérôme. J'embarque immédiatement et les copains avec moi.

— On y va au Vézénéla, dit M. Kock tout crachotant de fureur.

— Ah ! mais... Ah ! mais... fit Peter Borel en roulant sur ses hanches. Des anciens de la Légion ne se dégonflent jamais.

Schutz approuva silencieusement mais avec énergie.

— Eh ! bien, dit le général, venez tous à mon bord, nous allons signer l'engagement sur l'heure.

Dans le brouhaha la voix flûtée de Martin s'éleva :

— Minute, mes petits amis, allez chez les nègres si vous voulez, moi je reste.

— Par exemple ! Je voudrais bien voir ça ! s'écria Jérôme. Et saisissant Martin sous son bras il l'emporta comme un paquet.

— Allez ! En avant marche ! Et vive le Prince Noir !

Les cris rageurs de Martin se perdirent dans les acclamations de notre petite troupe avinée et enthousiaste qui suivait le général vers de nouvelles destinées.

Le général Gonzalès Clarriarte y Equipa était bien connu de toutes les polices des différents états européens. Depuis quatre ans qu'il avait été expulsé du Venezuela et qu'il était venu se réfugier en Europe, il n'était pas resté inactif. Il n'avait pas cessé de conspirer, mais avec éclat, car la discrétion n'était pas son fort. Il tramait des complots, ourdissait des plans secrets, achetait mystérieusement des concours ; mais son goût de l'éloquence était si grand qu'il se trahissait aussitôt et finissait par raconter ses projets à tout venant. Ce conspirateur bavard dont, sur la plainte des Légations vénézuéliennes, on s'était d'abord inquiété en Europe, n'était plus pris au sérieux par personne. La chronique malicieuse s'était emparée du personnage pour en faire une sorte de Don Quichotte ridicule et sympathique dont les tentatives héroïques finissaient toujours piteusement. Comme il possédait une grosse fortune, il dépensait sans compter pour réaliser son rêve de gloire, et aucun échec encore n'avait pu refroidir sa foi ni briser sa ténacité. La police ne s'occupait plus de ce Napoléon de roman-feuilleton et la surveillance s'était complètement relâchée autour de celui que l'on ne considérait plus que comme un inoffensif maniaque.

Pourtant il avait dû quitter la France à la suite d'un scandale qui avait failli mal tourner pour lui. Hanté par ses rêves de grandeur, il avait imaginé de s'emparer d'une des îles de la Méditerranée pour y fonder un royaume. Ayant loué à Marseille une cinquantaine de nervis, il les avait embarqués sur son yacht, et un beau jour avait débarqué dans l'île de Porquerolles dont il s'était emparé sans coup férir. Il s'était couronné sous le nom de Gonzalès Ier et avait installé sa royale résidence dans l'hostellerie du Grand Langoustier. Sa royauté fut éphémère, car ses troupes, mal disciplinées, voulurent commencer le pillage du royaume conquis. Quelques solides pêcheurs, aidés par les gendarmes, rembarquèrent de force tout ce joli monde, et le gouvernement français fit comprendre à Sa Majesté Gonzalès Ier qu'elle avait à passer la frontière dans les quarante-huit heures ou à consentir à un séjour à vie à Charenton.

C'est alors que le général vint s'installer à Hambourg. Le spectacle de l'activité du grand port lui rendit le goût des expéditions lointaines ; ayant abandonné définitivement ses projets de conquête européenne, il renoua des relations avec des conspirateurs vénézuéliens, amis comme lui de la liberté, et décida de monter la plus formidable expédition que l'Histoire ait jamais enregistrée contre le tyran de la république sud-américaine... Il s'agissait, sans éveiller l'attention de la police, d'armer un navire, de recruter un équipage et de débarquer sur la côte du Venezuela une petite troupe décidée qui donnerait le signal de la révolution et à laquelle se joindraient aussitôt tous les partisans de la Liberté. Le coup ne pouvait manquer de réussir.

Le général se flattait d'être un organisateur de génie : il le prouva en achetant pour 40 000 dollars un vieux cargo de 5 000 tonnes. Après l'avoir remis en état, il le baptisa solennellement et sur le ripolin flambant neuf fit peindre en lettres d'or le nouveau nom : « *El Libertador* ».

Quand nous fîmes sa connaissance, il ne restait donc plus au général qu'à trouver un équipage pour son bateau. Des hommes prêts à tous les risques et à tous les boulots, ça se rencontre toujours quand on sait y mettre le prix ; mais un capitaine, un vrai, capable de conduire un navire sans confondre les longitudes et les latitudes, la boussole et le sextant, et disposé à entrer au service d'un tel patron pour une croisière aussi périlleuse, voilà qui ne se trouve pas tous les jours devant le zinc d'un bar même à Hambourg ; et le général, malgré mon mauvais œil, avait eu une fière chance de tomber sur moi.

C'est ce que je lui fis remarquer cependant qu'il nous conduisait vers le môle 119 où était amarré le *Libertador*.

— Je vous donne 800 dollars par mois, me dit le général. Nous signerons le contrat et la charte-partie cet après-midi. Ce n'est d'ailleurs qu'une formalité, car une fois l'expédition terminée, je saurai vous récompenser au-delà de vos espérances, capitaine.

J'avais beau être passablement saoul et fatigué par la nuit d'orgie de Saint-Pauli, les promesses du général m'arrachèrent un sourire ironique. Comme loufoque, pensai-je, on ne fait pas mieux dans la lune, mais il a le porte-monnaie grand ouvert. PetitGuillaume, mon ami, c'est le moment de pousser ta chance.

Nous fûmes accueillis à bord du *Libertador* par l'épouse du général. C'était une forte femme, brune et velue, bâtie à chaux et à sable, et dont les veines charriaient tumultueusement un sang enflammé. Elle s'appelait Pilar de son prénom. Passionnée pour les grands projets de son mari, dévouée, fidèle, soumise, elle n'avait qu'un seul défaut : elle buvait – sotte habitude contractée au cours d'une vie consacrée davantage aux émeutes de rue qu'aux flirts de boudoir. Bien qu'elle fût catholique fervente, cette vie mouvementée l'induisait en de nombreuses tentations auxquelles (sa forte chair étant faible) elle succombait si souvent qu'elle avait attaché à sa personne un moinillon casuiste et disert chargé de lui donner l'absolution après chaque péché.

Depuis que le cargo, ayant changé de propriétaire et de nom, battait pavillon vénézuélien, la générale, son mari et son moine s'étaient installés à bord et attendaient dans la fièvre le jour heureux où l'on pourrait appareiller. De l'aube au crépuscule une activité fébrile régnait sur le navire. La générale, cotillons troussés, parcourait le pont à grandes enjambées, descendait dans les postes d'équipage, dans les gaillards, dans la cale, aménageait, déménageait, clouait des planches, curait des seaux, charriait des rouleaux de cordage, faisait retentir l'air de jurons sonores et d'apostrophes à l'adresse du moinillon qui se hâtait de son mieux pour obéir à son irascible patronne.

— Dom Paez, *hijo de puta !* criait la générale. Fainéant de moine, arrive ici !

Elle chargeait les bras du bon père de deux douzaines de gamelles en aluminium en lui enjoignant de les porter à la cuisine. La minute d'après, on entendait un fracas d'enfer et des lamentations ; gamelles et moinillon s'étaient écrasés par terre. La générale roulait des yeux terribles, se tirait quelques poils de barbe et se mettait à jurer comme un simple soldat. Toutes ces injures, le moine d'ailleurs finissait par les faire payer cher à sa pénitente en la condamnant à réciter trois chapelets et six litanies complètes pendant une semaine. Il était plus indulgent pour les péchés de chair qui ne valaient qu'un acte de contrition même imparfaite.

Lorsque nous mîmes le pied sur le *Libertador,* la générale poussa des hourrahs si énergiques que les nouvelles recrues épouvantées firent mine de rebrousser chemin.

— Venez, mes enfants, tonna le général. Je vous présente ma femme. Un rude lapin comme vous pouvez voir. Approchez, matelots, vous êtes sur le vaisseau qui doit vous conduire à la gloire.

La générale, transportée d'allégresse, s'empressa d'apporter des bouteilles de whisky. Aidée par son moinillon, elle nous versa force rasades. On trinqua ferme, on porta des toasts à la liberté du Venezuela, et quand le général eût mis tout le monde au courant du complot, qu'il eût expliqué en long et en large ses plans de bataille, Dom Paez à la demande de la générale entonna le *Veni Creator* que le nouvel équipage prit pour une chanson bachique.

— Maintenant, messieurs, dit Gonzalès, allez faire vos sacs à terre ; vous embarquez ce soir. Nous déciderons alors des derniers préparatifs avant l'appareillage.

À cet endroit de son récit, PetitGuillaume s'arrêta quelques instants pour m'observer.

— Vous êtes en train de vous demander, mon jeune monsieur, reprit-il, quel stupide roman je vous raconte là. Faites-moi la grâce de me croire sincère et que je n'invente rien. Sans doute on se bat beaucoup dans mon histoire, on se saoule aussi, comme dans un film classique de marins : il n'y manque que les filles. Et si je marque un scrupule à continuer, c'est que justement en voici venir une et qu'il faut bien que je vous la présente. Que voulez-vous, une vie ou un film d'aventures, c'est bête comme chou, c'est toujours la même chose, et si vous trouvez que je remonte au déluge, que je me noie dans les détails avant d'arriver au fait, je le fais exprès pour être mieux cru, pour authentiquer mon histoire, pour la distinguer de tous les souvenirs de cinéma que vous pouvez avoir.

Il faut même que je souligne les invraisemblances. Si j'écrivais un roman, je pourrais les supprimer en arrangeant les événements. Dans la vie, les transitions sont souvent si maladroites qu'elles gâchent les meilleurs effets. Ainsi, comment vous faire croire que les compagnons dont je viens de vous parler, une fois dégrisés, une fois rendus à leur vie normale, aient pu seulement se souvenir qu'ils avaient, quelques heures plus tôt, signé un engagement qui les liait à la fortune d'un fou et les obligeait à tenter à l'autre bout du monde une révolution d'opérette ? Et pourtant le soir même, à bord du *Libertador,* pas un seul d'entre nous ne manqua au rendez-vous donné par le général… Ils avaient eu tout le temps de réfléchir aux conséquences de leur acte insensé, d'en voir les dangers et les ridicules. Eh ! bien, ils avaient choisi de persévérer dans leur folie. C'était, si je puis dire, un coup de tête raisonné. Croyaient-ils vraiment aux promesses du général ? Était-ce l'attrait de l'argent ? Avaient-ils de bonnes raisons, comme moi, pour profiter du premier prétexte d'évasion ? Était-ce seulement le goût de l'aventure ? Ne philosophons pas sur ce cas trop complexe. Toujours est-il que Peter Borel, officier mécanicien depuis dix ans sur *La Ville de Copenhague,* abandonna son bateau, sa situation, son grade, son avenir, sans un soupir, pour s'embarquer avec un rôle mal défini sur une espèce de cargo pirate. M. Kock quitta je ne sais quel rond-de-cuir confortable dans l'administration du port, et Schutz renonça à son salaire de docker ; sans compter pour tous deux leur vie de famille, leur foyer qu'ils brisaient délibérément.

Quant à Jérôme et Martin, sans doute étaient-ils dans la même situation que moi : n'ayant rien à perdre et tout à gagner, le sacrifice leur était léger. N'empêche que c'était pure folie et que vous seriez en droit de crier à l'invraisemblance.

Jérôme, voyez-vous, c'était un gars merveilleux. Il était fort et timide, naïf comme un champ de blé, audacieux comme un goéland. Tout ce qui bouge lui plaisait : la mer, les danseuses, la bataille d'hommes, les oiseaux, les drapeaux ; il détestait tout ce qui par nature ou par goût est immobile : les statues, les maisons, les chats, les moines, la sieste. Il avait, quoique Breton, le profil aigu des amis du vent, et quoiqu'illettré, ce mouvement des cheveux qui désigne les têtes inspirées. Du premier coup je l'avais aimé, et j'ai gardé de lui un souvenir attendri. Qu'est devenu ce grand corps sympathique toujours en mouvement, dont l'en-avant était capable de tromper longtemps la mort ? Rien de bon, je le crains, car il était trop honnête pour forcer la chance, et sa bougeotte ne laissait pas à la Fortune le loisir de le trouver pendant son sommeil. Et j'en ai deuil.

Il habitait avec Martin « chez Gambrinus », hôtel de passe assez mal famé, sis sur les frontières du quartier Saint-Pauli. Le patron, un nommé Goratchkoff, était un russe blanc plein de distinction et qui, ouvertement adonné à l'homosexualité, favorisait ce vice chez ses clients de passage.

Depuis une semaine, Jérôme et Martin avaient pu trouver chez Gambrinus un asile discret. Non point que leurs relations fussent d'un ordre si spécial qu'elles eussent besoin d'être secrètes ; l'amitié qui unissait Jérôme et Martin n'avait rien d'équivoque, et s'ils couchaient dans le même lit, c'était seulement par économie. Mais ils avaient toutes les raisons de rester cachés à Hambourg : d'abord pour vivre heureux, et aussi pour ne pas risquer d'être arrêtés et mis en prison jusqu'à leur restitution dans le plus bref délai aux autorités françaises. Car, quoique Breton, Jérôme était bel et bien citoyen français et il n'avait aucun droit de séjourner sans passeport à Hambourg. Depuis une semaine déjà le paquebot sur lequel Martin et lui étaient inscrits en qualité de chauffeurs avait levé l'ancre en signalant à la police la disparition de deux membres de l'équipage.

Jérôme avait en effet décidé de courir l'aventure et d'associer Martin à cette tentative. Sans regret, les deux amis avaient donc quitté le confortable paquebot sur lequel ils servaient et s'étaient perdus sans esprit de retour dans la foule du grand port. Ils étaient libres maintenant de profiter des occasions qui s'offriraient à leur appétit de conquête. Mais en quelques jours ils eurent dépensé leurs derniers sous et aucune chance ne s'était encore présentée. La fortune ne leur souriait guère, qui favorise pourtant les audacieux, et il fallait toute l'ingéniosité de Martin pour réussir à manger deux fois par jour.

Ce Martin était un jeunet de vingt-huit ans qui, depuis deux lustres qu'il naviguait, avait toujours eu le mal de mer. Parisien et fils d'un pilote de la Compagnie des Bateaux-mouches, il avait cru avoir une vocation pour la mer et il s'était engagé à vingt ans dans la marine de guerre. Plutôt mal fait que bien, maigrelet, avec des bras si longs qu'il pouvait se gratter les mollets sans plier les genoux, le nez aplati à la base et retroussé à l'extrémité, des oreilles en éventail, le costume marin ne convenait pas à son genre de beauté : il le déguisait en garçonnet sans lui donner aucun des charmes que prêtent habituellement le seyant col-bleu et le pompon rouge.

Rendu à la vie civile, Martin dégoûta son père. Il ne sut pas lui raconter les merveilles de son voyage en Chine qui pourtant eussent pu balancer celles dont le vieux rapportait chaque soir le souvenir de Charenton ou de Suresnes. C'est que le jeune Martin n'était pas bavard. Il n'aimait pas parler en vain, et il ne se donnait la peine de raconter des histoires que s'il y avait pour lui de l'argent à gagner ; son éloquence alors était intarissable.

Il se fit bonneteur à la sortie des champs de course. Pris dans une rafle et condamné – heureusement avec sursis – il préféra aux risques de ce métier sans gloire de reprendre la mer, sans col-bleu cette fois, avec un simple bourgeron, à bord d'un paquebot des Messageries Maritimes. Sur ce bateau il fit la connaissance de Jérôme. Celui-ci se servait de sa force pour commander ses camarades, mais son règne n'allait pas sans danger, car s'il était plus fort que chacun de ses sujets pris individuellement, une résistance concertée des mêmes aurait bien pu amener sa chute. En Martin il trouva une éminence grise, débrouillarde et intelligente, dont il apprécia les qualités et qu'il attacha aussitôt de gré ou de force à sa fortune.

J'habitais un hôtel guère plus reluisant que « Chez Gambrinus » et dans le même quartier. Aussi en quittant le *Libertador,* tout en bavardant j'accompagnai Jérôme jusqu'à sa porte. Sur le seuil le patron dès qu'il nous aperçut leva les bras au ciel et se confondit en lamentations.

— Ciel ! Monsieur Le Guellec, comme vous voilà fait ! s'écria Goratchkoff. Vous avez la figure tout égratignée et votre chandail est en loques. Je suis sûr qu'une de ces vilaines femmes de la rue Peter vous a encore manqué de respect. Vraiment ces femelles sont insupportables et ne peuvent laisser en paix une minute les honnêtes passants. Si j'étais préfet de police, j'aurais vite fait de nettoyer cette racaille. Hélas on sent bien que la révolution a passé aussi dans ce malheureux pays. Voyez-vous, les villes des républiques ne sauraient avoir la bonne tenue de celles des anciens régimes. Je suis sûr que Pétersbourg est devenu un cloaque, une sentine de prostitution. Il n'y a qu'à voir la mauvaise mine de ces matelots de la Rote Marine qui envahissent maintenant Saint-Pauli. Mais, messieurs, je vous jure bien qu'il n'y aura jamais une chambre dans mon établissement pour ces gens-là. Je préfère la clientèle des gentlemen. La vôtre, par exemple, monsieur, dit-il en se tournant aimablement vers moi. J'ai une belle chambre pour vous à côté de celle de M. Le Guellec, et puisque vous êtes amis je vous ferai les mêmes conditions.

Je refusai poliment, alléguant que je devais quitter Hambourg le soir même. Mais Jérôme accueillit la suggestion avec enthousiasme.

— C'est ça, s'écria-t-il. Le capitaine est un frère. On ne doit plus se quitter.

Finalement j'acquiesçai. Que m'importait d'ailleurs de coucher ici ou là. Je n'avais même pas de bagages à déménager.

Je ne pensais qu'à une chose après une nuit blanche de bataille et d'ivresse, c'était à m'allonger sur n'importe quel lit et à dormir.

Goratchkoff parlait avec une invraisemblable voix de tête, et il roulait les R comme tout Russe qui se respecte. Il s'exprimait assez bien en Français et affectait d'employer cette langue chaque fois qu'il le pouvait : il jugeait que c'était plus distingué.

— Vous comprenez, disait-il, j'ai appris le français avant le russe. Toute la noblesse parlait français sous l'ancien régime, et je suis, pour vous servir, le dernier survivant mâle de la famille princière des Goratchkoff. Échappé par miracle au massacre bolchevik, je me suis enfui en Allemagne en 1918. Sans un sou d'ailleurs. Et moi qui possédais des terres deux fois grandes comme la France et des bijoux de quoi acheter toute la flotte anglaise, je suis obligé de travailler pour vivre. Mais un prince Goratchkoff ne saurait déchoir. J'exerce noblement mon humble métier.

D'une calvitie distinguée, le petit homme frisait la cinquantaine. Il avait des traits d'une finesse si fragile qu'il désarmait à l'instant l'injure ou la claque que lui destinaient les gens malintentionnés. De minuscules mains de femme, à la paume potelée, aux doigts effilés, s'envolaient sans cesse au bout de ses gestes, à chacune de ses paroles, et lui prêtaient une très comique grâce ailée. Toujours en mouvement, vif comme un oiseau, il se haussait sur la pointe des pieds à chaque politesse et retombait sur les talons après avoir lancé son trait aimable. Il portait toujours une veste de velours noir dont il ornait chaque dimanche la boutonnière d'une rose blanche ; un pantalon fantaisie aux rayures discrètes tombait droit comme un fil à plomb sur d'adorables souliers vernis, menus et cambrés, que recouvraient souvent des guêtres blanches. Enfin la cravate était le grand luxe de ce dandy économe : elle était toujours d'une soie blanche, immaculée, et enroulée autour du cou plusieurs fois s'épanouissait en un jabot compliqué, en des coques savantes, par l'échancrure du veston.

L'affection que Goratchkoff portait à Jérôme était d'un tout autre ordre que pédérastique. N'eut été son extrême courtoisie, il eut même volontiers reconnu que ce Breton ossu, avec sa figure à pans coupés, était franchement laid. Mais il avait pour Jérôme cette admiration qu'involontairement tous les hommes petits nourrissent pour les grands, les faibles pour les forts, les avortons pour les géants. Enfin, Jérôme était Français, et c'était une raison suffisante pour que Goratchkoff par snobisme lui réservât toutes ses faveurs.

Cette qualité de Français valait également à Martin l'indulgence du patron de « Chez Gambrinus », mais une indulgence pourtant un peu aigre, car Goratchkoff supportait mal les plaisanteries, les calembours, les grossièretés de Martin. Il avait même fait à ce sujet quelques remontrances timides à Jérôme.

— Comment un homme de votre distinction, lui avait-il dit, peut-il admettre dans son intimité un garçon aussi tapageur et aussi vulgaire ? Par ses propos décousus, son inconstance, son immoralité, il rappelle la sotte race des femmes...

Jérôme faillit se fâcher. Mais devant un homme aussi affable, il ne savait comment se mettre en colère. N'ayant jamais connu de gens bien élevés, il hésitait toujours sur la manière de se comporter avec le Russe. Il avait honte avant de les dire des paroles coléreuses qui lui venaient au bord des lèvres. Aussi se bornait-il à demeurer stupide et muet, plus maladroit que jamais, timide comme une jeune fille, et ne sachant où fourrer ses grosses mains qui lui paraissaient toujours indécentes devant les fines menottes de son hôte.

Les quelques égratignures que portait Jérôme et le désordre de ses vêtements avaient affecté Goratchkoff qui ne cessait de se lamenter.

— Ce pauvre monsieur Le Guellec ! Quelle histoire, croyez-vous ! Ne me racontez rien, je ne veux rien entendre. Prenez d'abord ceci, ça vous remettra.

Et il tendit un petit verre de vodka à Jérôme qui l'avala d'un trait.

— Fameux ! fit le Breton en claquant la langue.

— N'est-ce pas ? n'est-ce pas ? pauvre monsieur ! Et maintenant vous allez monter dans votre chambre et pendant que monsieur votre ami se reposera, ma nièce lavera vos blessures et pansera vos plaies.

— Pour ça, c'est pas de refus ! s'écria Martin. Si toutefois ça ne dérange pas votre demoiselle.

Goratchkoff jeta à Martin un regard indigné.

À la vérité, la jeune fille dont il venait d'être question n'était pas la nièce de Goratchkoff mais sa fille. Il la faisait passer pour sa nièce car il avait honte d'avouer que sa pédérastie était de date récente et qu'avant la guerre il avait même été marié.

Cette jeune fille qui répondait au nom d'Olga était âgée d'une vingtaine d'années, et sa présence dans cet hôtel louche ne manquait pas de surprendre. D'avoir toujours fréquenté des invertis lui avait permis de conserver intacte sa pureté. Elle n'avait jamais entendu parler, même à mots couverts, de la manière dont se font les enfants. Cette innocence n'était pas pour déplaire à Jérôme grand amateur de pucelles. Mais la naïveté désespérante d'Olga ne facilitait pas sa tâche. Elle ne comprenait même pas les gestes les plus audacieux auxquels se livrait silencieusement Jérôme quand il la croisait dans l'escalier. Sous la main qui tentait de la caresser, elle restait absolument froide, indifférente, se demandant ce que ce manège signifiait. Jérôme craignait toujours qu'elle n'allât demander à son père une explication que pour sa part il était tout disposé à lui donner.

Aussi en montant à sa chambre Jérôme se réjouissait-il de l'occasion favorable que lui fournissait Goratchkoff de mener à bien ses desseins.

— Pour une veine, c'est une veine, dit Martin en se frottant les mains.

— Pour moi, oui, répondit Jérôme en s'arrêtant sur le pas de sa porte. Quant à toi, tu vas filer et me laisser en paix.

— Ah! Jamais de la vie! protesta Martin. Je veux ma part du gâteau.

— J'ai dit ouste! fit Jérôme menaçant.

Il avança de deux pas vers Martin. Le palier était si étroit que Martin en reculant perdit l'équilibre et dégringola l'escalier à grand fracas.

Jérôme le cœur en fête entra dans sa chambre pour se préparer à recevoir les soins de la blonde Olga. Je lui souhaitai bonne chance et entrai dans la chambre voisine. Comme une masse je m'affalai sur le lit et j'allais m'endormir d'un épais sommeil d'ivrogne, quand je remarquai que ma chambre n'était séparée de celle de Jérôme que par une porte à double battants mais disjoints et par l'interstice desquels je pouvais tout voir et tout entendre de ce qui se passait à côté. C'est ainsi que j'entendis au bout de quelques minutes Jérôme répondre: « Entrez » au toc toc timide que l'on venait de frapper à sa porte, et je vis Olga, une casserole d'eau bouillie à la main, un paquet de ouate hydrophile sous le bras pénétrer dans la pièce. Elle referma soigneusement la porte derrière elle et ne sembla pas s'inquiéter outre mesure du spectacle pourtant extraordinaire qu'elle eut alors sous les yeux. Jérôme, absolument nu, sans le moindre caleçon ni même l'ombre d'un fixe chaussette, se promenait dans la chambre. Il escomptait sans doute que sa tenue provoquerait une certaine émotion chez la jeune fille. Il n'en fut rien. Olga avec un fort accent tudesque disait aimablement en français : « Bonchour, monsieur Le Kellec ». Et le plus gêné des deux ce fut Jérôme qui soudain ne sut plus où se fourrer, embarrassé de son grand corps comme un drapeau de sa hampe. En manière d'excuse il balbutia : « Je suis couvert de blessures ». En fait il était plutôt couvert de poils et pas beau du tout à voir. La petite aurait mieux fait d'apporter un rasoir mécanique que des compresses.

— Montrez-moi vos blessures, dit Olga en souriant.

— Non, non, fit vivement Jérôme, ce n'est pas convenable. Et il s'enfouit précipitamment dans son lit.

— Voyons, voyons, vous a peur de souffrir. Mais moi che sais panser sans faire de mal.

Avec autorité elle arracha les draps et découvrit la nudité de Jérôme.

— Vous a pas de blessures, dit-elle après l'avoir soigneusement examiné de la tête aux pieds.

— Non, je n'ai que des ecchymoses, dit Jérôme qui avait lu ce mot dans les journaux.

— Des esquimaux ? demanda Olga sans comprendre. Et elle désignait d'un doigt interrogateur certaines parties du corps de Jérôme.

Il éclata de rire ce qui remplit la petite de confusion.

— C'est que moi, che n'ai pas, vous gombrends ? expliqua-t-elle timidement. Mon oncle m'a dit que les femmes sont des hommes ingomblets. C'est une infirmité d'être une fille. Les garçons, vous gombrends, s'intéressent pas aux filles.

Pour le coup Jérôme se mit à bégayer d'étonnement.

— Ah ! ben, çà, ma petite ! Dieu de Dieu ! Croyez-vous, quel salaud ton oncle ! Ah ! mais… Ah ! mais…

Soudain prenant une décision :

— Je vais te montrer, moi, si les garçons ne s'intéressent pas aux filles !

En un tournemain l'affaire fut bâclée. Jérôme multiplia les arguments, se servit goulûment. Olga gardait une parfaite indifférence. Couchée sur le lit, jupes troussées, la figure perdue dans la poitrine excessivement velue de Jérôme, écrasée et suffoquante, elle ne se révoltait pourtant pas.

— Ah ! ben, pour ça Dieu oui, quelle affaire ! murmurait-elle seulement.

Après plusieurs chaleureuses étreintes, son impassibilité finit par étonner Jérôme qui se souleva un peu sur les coudes et, vaguement inquiet, interrogea l'objet qu'il écrasait sous lui :

— Et alors, ma fille, qu'en dis-tu ?

— Moi ? fit Olga tombant de la lune. Je n'en dis rien.

Jérôme, refroidi par cette réponse, se leva en maugréant et commença à se rhabiller.

— A-t-on jamais vu ça, ronchonnait-il. On t'en fichera des mâles comme moi! Mademoiselle a dû être faite pendant la retraite de Russie. Toute gelée cette enfant-là...

— Vous es pas gontent, monsieur Le Kellec? fit Olga de sa voix chantante et affectueuse.

À ce moment on frappa à la porte.

— Entrez! répondit Olga.

Martin entra et ne put dissimuler sa surprise devant la mine déconfite et furieuse de Jérôme.

— J'arrive peut-être un peu tôt, dit-il.

— Oh! non, monsieur Martin, fit Olga, nous venons juste de finir la chose.

— Quelle chose?

— La chose qu'on appelle l'amour, n'est-ce pas monsieur Le Kellec?

L'éclat de rire de Martin mit le comble à la fureur de Jérôme.

— La ferme! vous autres, cria-t-il menaçant, ou je cogne. Toi, la petite frigo, pas un mot à ton oncle, sinon je te fais peler les fesses. Quant à toi, le morveux, à la première plaisanterie, je te noue la langue.

Olga ramassa son paquet de pansements et sa casserole puis se retira avec une grande modestie.

— Vous as plus besoin de moi, monsieur Le Kellec?

— Va au diable! bougonna Jérôme.

Elle fit une révérence timide et disparut.

Dans l'après-midi de ce même jour qui avait été si fertile en événements, je me rendis à bord du *Libertador* où je retrouvai le général et sa femme.

— Nous sommes convenus, me dit ce seigneur, d'une mensualité de 800 dollars. Mais je veux faire davantage pour vous. Je vais vous constituer au Lloyd une rente viagère de 50 000 francs dont vous pourrez jouir à partir de l'année prochaine en vous retirant dans une campagne de votre choix, si toutefois vous le préférez aux honneurs qui vous attendent dans le pays auquel vous aurez contribué à rendre la liberté. Mais je connais les Français : ils ne pensent qu'à rentrer chez eux une fois leurs exploits accomplis. Ainsi vous le pourrez, et du fond de votre province vous penserez à Gonzalès qui gouvernera un pays deux fois grand comme le vôtre.

— Vous me comblez, général, fis-je. J'aurai à cœur que mon dévouement et ma reconnaissance surpassent encore votre générosité.

Tout naturellement j'avais pris le tour castillan qui convenait.

— Capitaine PetitGuillaume, reprit le général, il faut maintenant que vous engagiez l'équipage.

— Vingt-deux hommes sont largement suffisants; vous les aurez demain. Peter Borel qui connaît à la fois les machines et la navigation me servira de second capitaine.

— Je l'entends ainsi. Vos camarades doivent constituer l'état-major de l'expédition. Mais il nous faudrait en plus une cinquantaine d'hommes décidés capables de former la première troupe de choc de la révolution.

— Diable! fis-je. Voilà qui est plus difficile à trouver, tout au moins sans éveiller les soupçons de la police de Hambourg.

— Pour ça, j'ai mon plan, s'écria la générale Pilar. Rien n'inspire confiance comme le cinéma, n'est-ce pas? Eh bien, nous allons déclarer le *Libertador* comme un bateau qui s'en va tourner un film exotique dans les mers du Sud, un film à grand spectacle nécessitant une nombreuse figuration. Nous engageons donc une cinquantaine de figurants sans rien leur révéler de nos véritables projets. Le moment venu nous les armons et nous les jetons dans la bataille. Il faut seulement que le recruteur sache choisir des hommes et non des pantins. Vive Dieu! Une fois à bord, je me charge d'en faire des soldats.

— Le plan est génial, dit Gonzalès.

— Mais délicat à exécuter, objectai-je. Il faut avant tout que le secret soit strictement gardé et deuxièmement que ces figurants soient plutôt des professionnels de l'aventure que du cinéma.

— Les cachets seront royaux, répliqua le général, et une troupe bien payée se bat toujours bien. D'ailleurs ils n'auront même pas à se battre. Je n'aurai qu'à paraître pour vaincre et leur rôle se bornera à celui d'une escorte décorative.

— Il faudra pourtant les armer, fis-je.

— Les armes ? Elles sont là. Je m'en suis déjà occupé. Venez voir.

Il me conduisit à la cale et me montra une trentaine de caisses alignées comme des cercueils.

— Voici un millier de fusils.

Je soulevai quelques couvercles et examinai le contenu des caisses : c'était d'invraisemblables pétoires hors d'usage, des fusils de chasse rouillés, des armes de collection ou des souvenirs de guerre ; il y avait jusqu'à des carabines à air comprimé et des trompe l'œil en bois peint dont on se sert au théâtre. Les seules armes utilisables étaient une douzaine de revolvers et de pistolets de tous calibres que le général avait achetés lui-même chez un armurier. Le reste avait été livré par des trafiquants sans scrupule qui avaient préféré faire la brocante des vieilles panoplies plutôt que de risquer la prison en vendant de vraies armes de guerre.

— Vous n'imaginez pas les difficultés qu'il y a pour se procurer un lot de fusils aussi important, me dit le général. Ces armes, je les ai payées au poids de l'or. Pour les embarquer sans donner l'éveil, j'ai dû prendre des précautions inouïes, acheter des silences et des complicités, bref dépenser une fortune. Quant aux munitions, les voici : 5 000 cartouches moitié chasse, moitié guerre, c'est tout ce que j'ai pu trouver sur la place. Enfin, pour compléter l'armement du *Libertador,* j'ai réussi à me procurer deux canons lance-harpons. Nous les placerons bien en vue sur le pont, et si leur puissance de feu n'est pas considérable, leur seule vue produira un effet d'intimidation très suffisant. En montrant ma force, je n'aurai pas besoin de m'en servir, comme disait un général de chez vous.

Vous pensez bien qu'après une telle visite toutes mes illusions, si j'en avais jamais eu, s'étaient dissipées. J'étais sûr maintenant d'avoir affaire à un fou mais à un fou milliardaire dont il suffisait de flatter la manie pour s'enrichir à ses dépens. J'acceptai donc avec gaieté et sans remords le commandement du *Libertador,* et la part qu'il m'offrait dans cette révolution d'opérette. Il suffisait de ne pas le contrarier, d'entrer dans son jeu avec le plus grand sérieux. Je m'y décidai, et mes compagnons, me sembla-t-il, ne firent pas plus de difficultés que moi pour s'y résoudre.

Grâce à M. Kock qui connaissait tous les mauvais garçons de Hambourg, le recrutement des figurants se fit rapidement. En une semaine, une cinquantaine de lascars aux dents longues, engagés pour un grand film exotique, avaient pris place à bord du cargo. Ils y menaient un train d'enfer, s'enivraient, maltraitaient le moinillon de la générale, et réclamaient à grands cris la vedette du film. Cette question faillit même tout faire échouer, car, puisqu'on était censé partir pour tourner un film, il fallait de toute évidence une star et la générale était trop usagée pour en tenir lieu.

Ce fut Jérôme qui sauva la situation. Il alla trouver Goratchkoff et lui raconta qu'un riche commanditaire organisait une expédition cinématographique dans la mer des Antilles et qu'il cherchait comme principale interprète une jeune fille répondant exactement au signalement d'Olga. Il proposait de l'engager avec un contrat digne d'Hollywood.

— Mon Dieu, cher monsieur Le Guellec, répondit Goratchkoff, cette offre me séduit assez. Quand il s'agit de servir les beaux-arts, même le plus récent d'entre eux, je ne saurai refuser mon concours et encore moins celui de ma nièce. Mais j'entends accompagner Olga pour la diriger dans ce nouveau métier. J'ai le goût sûr et le sens de la beauté. Mes conseils peuvent être utiles à tout artiste consciencieux, et le riche homme dont vous me parlez n'aura pas à se repentir de mes services non plus que de ceux de ma nièce.

Olga consultée ne marqua ni étonnement ni joie. Cette fille était décidément incapable de la moindre réaction. Les événements les plus surprenants pouvaient survenir sans même qu'un éclair s'allumât dans son œil bleu terne.

La réception bruyante que lui fit l'équipage quand elle embarqua sur le *Libertador* ne l'émut pas davantage. Tous ces garçons de mauvaise mine poussaient des cris d'animaux ou des quolibets obscènes. Ils se pressaient même avec une telle ardeur autour de leur vedette qu'il fallut que Jérôme et M. Kock la dégageassent à coups de trique. La générale accourut, prit la jeune fille sous sa protection et l'emmena dans sa cabine pour lui inculquer les premiers rudiments de son rôle.

Cependant Goratchkoff plus mondain que jamais s'émerveillait de l'allure martiale des figurants.

— Quels beaux hommes ; croyez-vous ! répétait-il à Jérôme. Une telle troupe fait honneur à celui qui la recruta. Voyez ce blondinet, monsieur Le Guellec, il a un profil de primitif et une douceur de visage bien digne d'attention.

Il se mit à papillonner de groupe en groupe, essayant par ses mines et ses politesses la séduction du charme slave sur ces natures grossières.

Le général Gonzalès accueillit avec des transports de joie la jeune Olga qui complétait si gracieusement son équipage. Très vieux Venezuela, il lui baisa la main, lui fit mille compliments, et fut même si galant que la générale dut le rappeler à l'ordre.

Tout l'état-major, tous ceux du complot étaient réunis dans le salon. Goratchkoff lui-même, rebuté par les hommes de l'équipage, était venu rejoindre sa nièce et les officiers. Les formes qu'il mit à se présenter plurent infiniment à Gonzalès. Quant à la générale Pilar elle fut séduite d'emblée par la politesse câline et les protestations de dévouement que lui fit le Russe. Elle se promit même de le faire pénétrer plus avant dans son intimité. Le pauvre Goratchkoff heureusement ne se doutait pas encore de ce qui l'attendait.

Il y avait donc là le général Clarriarte plus solennel que jamais, sa femme, tendre guerrière, Dom Paez, pieux renard, Olga, attentive et bornée, Goratchkoff tout miel et courbettes, Jérôme impassible, Martin ironique et inquiet, M. Kock plein de son autorité, Peter Borel bien en selle pour l'aventure, Schutz avec son entêtement et ses cheveux rouges, et enfin votre serviteur, le seul de la bande sans doute qui jouissait de toute sa raison.

— Mes amis, commença le général, puisque nous voici tous réunis, il convient d'abord que je mette au courant de nos projets secrets cet honnête gentilhomme. (Il désignait Goratchkoff). Il manquait à notre expédition une pure héroïne, une cavalière, la voici. (Il voulait désigner Olga, mais par erreur montra du doigt la générale, ce qui fit courir un léger frisson dans l'assemblée). Nous sommes donc parés pour la gloire.

Demain à l'aube nous appareillons. Pour le Venezuela et le cinéma, hip hip hip…

Comme personne ne répondait hurrah, Goratchkoff qui savait l'art de sauver les situations s'écria :

— Bravo, général, nous allons faire un chef-d'œuvre !

— Un chef-d'œuvre qui nous vaudra plus de gloire que vous ne pensez, tonna le général, et peut-être même, à prévoir le pire, une mort glorieuse pour certains de nous. Mais qu'importe…

— Pardon, interrompit Goratchkoff, l'expédition comporte-t-elle réellement de tels risques ?

— Oui, monsieur, car voici quels sont mes projets secrets.

Et le général se lança dans des explications enflammées, dans des narrations si horribles de batailles et de massacres que, malgré les envolées lyriques pour célébrer la victoire probable et la gloire d'une telle aventure, Goratchkoff s'évanouit.

— *Christo Sangre de Dios !* cria la générale. Le cher homme défaille. Vite du vinaigre ! Moine, allez chercher mes sels !

Elle prit Goratchkoff dans ses bras, lui tapota amoureusement le visage en lui murmurant des paroles maternelles.

— Ce chérubin, crois-tu, quel cœur d'or ! Sensible comme une femme. Aussi, vous autres militaires sanguinaires, vous effrayez les enfants et les poètes avec vos histoires d'héroïsme. Ce mignon n'en peut plus.

— Oui, madame, dit Goratchkoff en revenant à lui, je préfère m'en aller.

— Chérrri, cria la générale en l'étreignant à pleins bras, vous ne ferez pas ça.

— Il est trop tard maintenant pour reculer, dit Gonzalès d'une voix sépulcrale. Il faut que la destinée s'accomplisse.

Goratchkoff eut beau prier, supplier, le général demeura intraitable et ordonna que le Russe fût gardé à vue jusqu'à ce qu'on eût gagné la haute mer.

Puis Gonzalès distribua solennellement les grades et les fonctions. J'étais capitaine responsable de la marche du navire; mais le général gardait pour lui le commandement suprême de l'expédition; il nomma Jérôme et Peter Borel seconds capitaines; M. Kock et Schutz furent spécialement chargés de faire régner l'ordre et la discipline à bord parmi les figurants et d'entreprendre leur instruction militaire. Quant à Martin on lui confia l'intendance.

Enfin se leva l'aube du départ. Par miracle, toutes les formalités administratives avaient été remplies sans encombre. Je ne sais par suite de quelle lubie, – peut-être était-ce seulement pour me faire honneur, – le général avait décidé que le *Libertador* naviguerait sous pavillon français. Il m'avait donc fallu aller voir notre consul à Hambourg pour obtenir l'acte de francisation du navire et le congé. Toutes les autres pièces avaient pu être obtenues avec le même bonheur et aucun soup-çon n'avait effleuré l'esprit des paisibles fonctionnaires qui avaient eu à viser le rôle d'équipage, les procès-ver-baux de visite, la patente de santé, le manifeste, etc... Bref, tous nos papiers étaient en règle et le *Libertador,* muni de son permis de circulation, était censé partir pour la mer des Antilles en croisière cinématogra-phique, chargé d'un faux fret d'équilibre, sans licence de commerce ni de pêche.

Après huit jours de démarches et de stations dans les bureaux, quand j'annonçai au général que j'étais venu à bout de toutes les difficultés et que nous pouvions prendre la mer quand il voudrait, il bomba la poitrine et déclara : « Le plus difficile est fait. Maintenant, Messieurs, ce n'est plus affaire que d'héroïsme. »

Il était temps de prendre la mer. Depuis une semaine je craignais chaque jour des désertions ou des indiscrétions. En fait, Goratchkoff était séquestré à bord ; les figurants également, par prudence, avaient reçu interdiction de descendre à terre et ils manifestaient une turbulence inquiétante. Il me tardait d'avoir quitté le port.

Aussi, ce matin-là, quand j'eus fait larguer les amarres, mugir la sirène, et que je commençai à voir défiler les maisons rouges de Hambourg qui prenaient leur bain de pied matinal dans le courant mêlé des trois rivières, je poussai un ouf de soulagement.

Peu à peu l'estuaire s'élargit dans sa folle tentative d'avaler toute la mer du Nord plus verte, plus froide, plus pure. Puis le fleuve fut vaincu par cette grande dévoratrice d'eau douce. La brise du sud qui sentait encore la terre tourna, balayée par le vent d'ouest qui levait la vague sous notre proue, et la première houle longue du voyage se mit à bercer le bateau. Le général, debout à côté de moi sur la passerelle, leva les bras.

— Hurrah ! cria-t-il. La route de l'Aventure est ouverte !

C'était un bon bateau, ce *Libertador*. Pas fin navire,

bien sûr, mais encore robuste pour son âge et filant facilement ses dix nœuds. Des chaudières en bon état, de la peinture neuve, et passablement de confort pour un cargo. Ses superstructures étaient solides mais un peu hautes pour son tonnage ; trois dunettes, c'est beaucoup sur un cinq mille tonneaux. La cheminée dominait à peine la passerelle supérieure qui était complètement découverte ; au-dessous se trouvaient trois cabines d'officiers (que Peter Borel, Jérôme et moi occupions) et la salle des cartes. Enfin la passerelle inférieure, symétrique à celle-là, se composait d'un salon-salle à manger sur lequel donnaient trois cabines occupées par le général, sa femme et le moine. Schutz, M. Kock et Martin logeaient dans le château arrière où se trouvaient aussi la cuisine, la cambuse et la sainte-Barbe. Une coursive de pont couverte reliait le château aux dunettes. L'équipage couchait par bordée dans l'entrepont. Quant aux figurants, on les avait parqués tant bien que mal dans le gaillard d'avant. Ils avaient droit au pont supérieur du gaillard mais interdiction de descendre sur les autres ponts.

J'avais bien raison de me méfier de cette troupe de bons à rien, braillards, insolents, fainéants, et qui, parce qu'ils se croyaient photogéniques, exigeaient d'être traités comme des rois de l'écran. En fait de cinéma, c'est un autre spectacle qu'on leur réservait, mais ils ne s'en doutaient pas encore.

Pour abréger, je vous dirai tout de suite que nous eûmes une belle traversée. J'entends belle quant au temps, car pour le reste elle fut meublée d'autant d'incidents cocasses ou tragiques qu'en comporte un bon roman-feuilleton.

Dans la mer du Nord, puis dans la Manche, tout alla bien. J'avais mon équipage bien en main. C'était vingt-deux braves gars qui ne voyaient pas plus loin que leur engagement et qui ne se préoccupaient pas des passagers excentriques qui encombraient le bord.

Le temps étant beau, les figurants passaient leur journée sur le pont à dormir, à bavarder ou à jouer. C'était tous de jeunes gars qui auraient pu travailler dans d'honnêtes métiers. Mais le chômage, le désespoir, ou plus simplement le stupide attrait des voyages, pour quelques-uns aussi le mirage du cinéma, les avaient conduits sur le *Libertador*. Au départ pas un seul ne se doutait qu'en réalité il venait de contracter un engagement dans une espèce de Légion Étrangère, qu'il était devenu soldat d'une cause révolutionnaire, qu'il avait loué sa vie pour une bataille.

C'était en majorité des Allemands. Il y avait pourtant parmi eux deux Italiens, trois Polonais et un Espagnol, nommé Antonio, beau comme un dieu, ancien danseur mondain. La plus forte tête de la bande, c'était un Gênois nommé Nenni, qui avait perdu un œil à la guerre, ancien arditi de Fiume, et qui n'arrêtait pas de râler. Bilieux, rageur, aigri, le teint jaune, le poil noir et sale, petit, maigre, mais possédant dans les doigts une force herculéenne, c'est de ce nabot trublion que nous vinrent les premières difficultés.

M. Kock et Schutz qui étaient chargés de faire régner l'ordre parmi les figurants avaient eu la faiblesse de ne pas leur interdire les jeux d'argent. Aussi les dés roulaient ferme sur le gaillard d'avant.

Tout alla à peu près bien jusqu'au jour où ce singe de Martin s'avisa de tenter sa chance par là. En deux jours il ruina tous les figurants et la paye d'un mois – cinquante dollars par tête – se trouva réunie dans sa poche. Une vraie fortune ! Bien entendu, ça fit du vilain.

Si la plupart se laissèrent dépouiller sans protester, Nenni, lui, une fois son dernier dollar envolé, vous empoigne le Martin par le cou, et le traitant de voleur, menace de l'étrangler s'il ne rend pas à ses camarades tout l'argent gagné en trichant. Tous les figurants approuvent de si sages paroles. Martin se met à pousser des cris d'orfraie. M. Kock survient et veut faire lâcher prise au borgne. Celui-ci se fâche de plus belle, jure par toutes les mères du Christ qu'il faudra lui rendre son argent ; puis, sans desserrer les doigts autour du cou de Martin, de sa main restée libre il prend à la gorge M. Kock qui, solide homme pourtant, ne peut plus se dégager de cette pince d'acier et appelle à l'aide. Nous étions alors au carré en train de déjeuner. J'envoie

Schutz voir la cause de tout ce vacarme. Il arrive sur le pont avant, voit ce rassemblement de braillards, veut le disperser à coups de botte.

— Assommez-le ! crie Nenni.

Tout le monde se rue sur le rouquin, cependant que le borgne continue d'étrangler doucement M. Kock et Martin non sans choquer leurs têtes de temps en temps l'une contre l'autre en manière de plaisanterie.

Un matelot vient me prévenir que ça chauffe dur à l'avant. Nous nous précipitons hors du carré. Le vent rabat sur nous une tempête de vociférations et nous voyons Schutz qui se bat comme un diable, toujours muet mais titubant sous les coups, cependant qu'au sommet de l'échelle de gaillard Nenni tenant toujours une victime dans chaque main vomit des injures.

— Ah ! le bel homme ! s'écrie la générale Pilar qui a souvent l'admiration intempestive. Moine, va lui dire que je veux le connaître.

Mais Dom Paez, effrayé par ce spectacle, se garde bien d'obtempérer et rentre prudemment dans le carré en se signant à tour de bras.

Le général, lui, lève les bras au ciel, roule des yeux furieux, sans rien comprendre à cette bagarre.

— Voyez comme ils se battent ! Mes soldats s'entre-tuent ! crie-t-il.

Mais bientôt gagné par la fièvre du combat, agitant ses grands bras, au milieu du tourbillon de sa redingote que le vent gonflait, il crie : « En avant ! Chargez ! À l'abordage ! »

D'un coup de sifflet, j'appelle l'équipage de quart. Mais déjà Jérôme a bondi. En deux enjambées il est sur le gaillard. Un coup-de-poing envoie Nenni rouler par terre ; il en faut un second à la pointe du menton pour que ses doigts de fer se desserrent autour des cous de M. Kock et de Martin. Jérôme alors se porte au secours de Schutz, et avant même que j'aie eu à intervenir avec mes matelots, à lui seul il a rétabli l'ordre parmi les braillards. C'était la foudre. Je n'ai jamais connu un homme avoir cette autorité dans la bagarre, tant de force et tant d'inspiration pour donner les coups et les éviter.

On relève Martin vert comme un noyé. M. Kock, remontant sa barbe jusqu'à ses yeux, tâte avec inquiétude sa pomme d'Adam.

— Quelle pince il a, le bougre ! gronde-t-il. On ne pèse pas plus qu'un papillon entre ses deux doigts.

Je fais ranger tous les figurants devant moi.

— Et alors, dis-je, pourquoi ce tumulte ?

Nenni sort du rang. Le coup-de-poing de Jérôme lui a cassé plusieurs dents. Il saignote des lèvres.

— Ce singe, dit-il, en désignant Martin, nous a volé notre paye d'un mois. Il faut qu'il rende l'argent.

Ses dents cassées le font zézayer et postillonner. Il a le regard plus noir encore que d'habitude et chargé de venin.

Dangereux coquin, pensé-je. À surveiller !

— Martin a-t-il triché ? demandais-je.

— Oui, répond Nenni.

— Pris sur le fait ?

— Non. Il est trop adroit. Mais on ne gagne pas contre cinquante personnes sans tricher.

— Martin, as-tu triché ?

— Je jure que non sur mon honneur de marin. Que voulez-vous, capitaine, j'ai de la chance. Je n'y peux rien, je gagne toujours aux jeux de hasard. Mais cette fois, bon Dieu ! je n'ai pas eu de chance d'avoir tant de chance !

Et tirant la langue, massant délicatement son cou meurtri, il fait une grimace si éloquente qu'il déride jusqu'à ses victimes. Seul Nenni intransigeant gronde toujours : « Il faut rendre l'argent ! »

— Suffit ! dis-je. En voilà assez avec cette histoire. Désormais j'interdis les jeux à bord. Si pareil incident se reproduit, je vous applique la discipline de l'équipage. Aux fers jusqu'à la fin du voyage pour tentative de mutinerie.

Un murmure de mécontentement court parmi les figurants.

— Dans ces conditions, dit Nenni, nous refusons de tourner votre film. Notre contrat est résilié. Ramenez-nous à Hambourg !

— Pas d'argent, pas d'artistes !

— Plous souvent qué zé préterai ma figoure sur l'écran pour qu'on se la paye avant au zanzi, roucoule le bel Antonio.

Devant ce tollé de protestations, le général, inquiet de voir son armée l'abandonner avant la bataille, se précipite au milieu d'eux et commence un discours.

— Mes amis, mes amis, ce que je vous ai promis n'est rien à côté des surprises merveilleuses que je vous réserve. À ceux qui rempliront bien leur rôle, un avenir immense est ouvert. Vous ne savez pas, jeunes gens, vers quel destin grandiose je vous conduis à votre insu. La gloire, la fortune, les acclamations d'un peuple, la reconnaissance d'un chef généreux, voilà ce qui vous attend. Le cinéma ? Dérisoire prétexte…

Entraîné par son éloquence, il va leur cracher le morceau, leur révéler ses desseins secrets, ses plans de campagne. Heureusement sa femme plus prudente l'arrête à temps.

— Gonzalès, crie-t-elle. Il est trop tôt. Nous sommes à peine sortis de la Manche.

Et tournés vers les figurants :

— *Muchachos,* dit-elle, le général regrette que vous ayez été victimes de votre passion du jeu et peut-être aussi d'un joueur trop habile. Pour vous prouver qu'il est mieux que votre patron, mieux que votre chef : votre père, il double ce mois-ci votre salaire. Vous toucherez chacun une seconde fois cinquante dollars.

Votre talent et les grandes choses qu'il attend de vous justifient ce nouveau sacrifice qu'il s'impose pour vous donner meilleur cœur à l'ouvrage, mes fils!

Un hourrah formidable accueille ces mâles déclarations. « Vive la générale! » crient les figurants. Antonio, emporté par la galanterie et la reconnaissance, saisit la main de la générale et la baise fougueusement. Pilar regarde avec intérêt ce jeune dieu. Un sang de Castille empourpre ses joues.

— Par la vierge du Pilar ma patronne, dit-elle en espagnol, que voilà un gentil cavalier. *Que guapo chico!* Viens avec moi, c'est toi qui auras l'honneur de rapporter leur paye à ces garçons.

Et comme Dom Puez la regarde avec sévérité :

— Moine, dit-elle, allez prier pour le succès de l'expédition. J'aurai besoin de vous tout à l'heure.

Depuis ce jour, le bel Antonio ne coucha plus dans le gaillard d'avant. Il fut attaché à la générale en qualité de secrétaire.

Quant au général, il se frottait les mains, marchait à grands pas avec exaltation.

— Quelle femme! Elle a le génie de la révolution. Quelle autorité dans le commandement! quelle adresse dans la négociation! Elle retourne les foules hostiles, elle subjugue les mutins. La señora de Carriarte est digne d'être impératrice. N'est-ce pas, capitaine ?

— C'est une vraie cavalière, fis-je conciliant.

— Enfin voilà réglée cette sotte affaire. Le dévouement de mes troupes est maintenant à toute épreuve. Je vais étudier le plan de débarquement.

Il redescendit quatre à quatre l'échelle de gaillard et se dirigea vers le carré où les cartes côtières du Venezuela étaient en permanence dépliées.

À quelques pas de moi, Nenni bougonnait encore en crachant ses dernières dents. Jérôme l'apostropha :

— Dis donc, vilain crabe, veux-tu rentrer ton patois ?

Le borgne lui lança un regard de jettatura, frémit une seconde comme les félins avant l'attaque, tâta dans sa poche un objet qui devait être un couteau, mais jugeant sans doute l'adversaire trop fort, ses muscles se détendirent. Il fit un demi-tour, cracha encore une fois par-dessus son épaule remontée, et murmura : « Je te retrouverai. » Puis il s'engouffra dans l'écoutille.

Nos repas au carré connurent un convive de plus. Par la faveur de la générale, le bel Antonio vint s'asseoir à notre table.

Tout marcha bien pendant quelques jours. Le général trouvait tout naturel que sa femme eût engagé un secrétaire particulier. Nous autres, nous traitions avec un mépris sympathique ce gigolo pommadé qui ne parlait que par œillades et se montrait à la fois discret, caressant et familier comme un chat. Seul Dom Paez désapprouvait cette présence, car Antonio, quoique sous des traits charmants, incarnait manifestement le péché, et le plus attrayant de tous : la luxure.

Pilar était aux petits soins pour son nouveau protégé. Elle lui servait les meilleurs morceaux, veillait sur sa santé, faisait en sa compagnie des tours de pont sentimentaux. Bref, lune de miel. À table elle interrompait soudain nos conversations les plus sérieuses pour attirer notre attention sur un geste, une attitude, un air particulièrement gracieux du jeune dieu.

— Voyez, criait-elle soudain, comme il a croqué ce biscuit. C'est le visage même de la jeunesse. Valentino n'avait pas ce velouté dans l'attitude.

Il remerciait d'un coup d'œil de chien tendre et n'osait plus achever son biscuit car tous les regards de la table convergeaient vers lui.

Le général toussait pour ramener l'attention sur des sujets moins frivoles et reprenait le fil de son discours :

— Je disais donc que notre premier devoir de Libérateur sera de rendre au peuple vénézuélien le droit d'élever et de vendre du bétail. L'abolition du monopole institué par le tyran sur les « ganados » sera notre premier titre à la reconnaissance publique. Le second sera le rachat aux puissances étrangères des monopoles pétroliers imprudemment concédés…

Tous les repas se ressemblaient à bord du *Libertador* au carré des officiers. Au hors-d'œuvre le général prenait la parole et il la gardait jusqu'au café, interrompu seulement de temps en temps par les approbations polies de Goratchkoff ou les exclamations saugrenues de Pilar. Tantôt il expliquait son plan de campagne, tantôt il détaillait les mesures qu'il prendrait quand il aurait conquis le pouvoir, tantôt il prédisait l'explosion d'enthousiasme révolutionnaire qui saluerait notre arrivée au Venezuela, tantôt il stigmatisait l'administration honteuse du tyran régnant.

Entre les repas le général étudiait ses cartes, me faisait appeler dix fois pour que je lui communique le point, m'interrogeait sur la marche du bateau, sur l'état d'esprit de l'équipage et des figurants, m'exposait les dernières modifications qu'il avait apportées à son plan de débarquement.

— Je n'ai confiance qu'en vous et en Jérôme, me répétait-il tout le temps. Les autres sont des instruments ; vous deux seuls êtes des chefs.

Alors bien vite on appelait Jérôme qui venait à son tour se pencher sur des cartes qu'il ne savait pas lire.

— C'est pas tout ça, dit-il un jour, on s'ennuie à bord. Des soldats, c'est fait pour manœuvrer. Je propose une répétition générale. Tous ces lascars ont besoin d'être dressés. Ils ne savent même pas manier un fusil il faut le leur apprendre, car nous approchons du lieu de la guerre.

— Bravo ! s'écria le général. Branle-bas de combat et grandes manœuvres cet après-midi.

Nous avions marché depuis Hambourg et le soleil commençait à chauffer. La mer insensiblement avait passé du vert au bleu. La brise prenait peu à peu cette tiédeur d'haleine qui annonce les Tropiques ; et la lumière, immatérielle, ruisselait mieux d'un ciel chaque nuit plus décoré d'étoiles. Pas un grain, pas un seul jour gris ni de houle sèche n'avaient troublé notre voyage. Pas un seul cas de mal de mer à bord. Le bateau traçait son sillon sur une mer sans relief et la vague nous était plus douce qu'un hamac. Aussi la monotonie des belles croisières commençait-elle à peser à tous ces gars amis des coups durs. Jérôme en proposant de faire manœuvrer la troupe n'avait pas d'autre intention que d'occuper ses loisirs. Ce fut pourtant la cause innocente d'un drame qui coûta la vie à trois des hommes qui se trouvaient à bord.

Mais je m'aperçois que je vous raconte mal l'affaire. Pour vous faire comprendre ce qui se passa alors il faut que je revienne à Antonio.

Ce jeune serin, à qui la conquête de la générale ne suffisait pas, s'était mis à faire la roue autour d'Olga. J'avais bien remarqué son manège, mais je pensais que pour ne pas compromettre sa situation, il saurait être prudent et ne pas éveiller la jalousie de sa protectrice. Hélas ! le sang de Don Juan coulait dans ses veines.

La générale lui fit d'abord quelques réflexions aigres-douces qu'il accueillit avec une dolence scandalisée. Puis elle s'en prit à Olga qui n'en pouvait mais ; enfin elle s'attaqua à Goratchkoff avec des insinuations blessantes, lui conseillant de tenir sa fille en laisse et de lui donner des bains de siège au bromure. Le Russe, sans comprendre, crut sa nièce malade, se lamenta, protesta contre l'absence d'un médecin à bord.

L'orage sentimental finit par éclater avec un bel orchestre de tonnerre, et la foudre de la générale causa quelques dégâts. Ce jour-là, début des chaleurs tropicales, chacun était allé faire la sieste après déjeuner. Dans ma cabine le ventilateur ronflait, mais, le bruit me gênant pour dormir, je l'arrêtai. Mon hublot donnait sur la coursive du pont. En l'ouvrant, je vis Olga appuyée contre la rambarde et qui contemplait d'un air stupide la houache du navire. Derrière elle, le bel Antonio était venu se camper et lui tenait des propos sauvagement passionnés.

— Je voudrais te mordre la peau jusqu'à ce que le sang en jaillisse, lui disait-il.

Il se pencha et lui mit un baiser effleurant sur l'épaule qu'elle avait nue. Elle ne tressaillit même pas. Alors il s'enhardit et couvrit sa nuque de baisers cependant qu'à deux mains il lui pétrissait les seins. Ce que voulait ce mâle, Olga ne s'en doutait même pas.

Mais la générale, soupçonneuse, au lieu de faire la sieste, était partie à la recherche d'Antonio. Elle arriva à point pour voir cette scène de tendresse. D'un formidable coup de pied au derrière elle rappela le galant à la réalité ; puis elle se mit à pousser des imprécations si sonores que toutes les cabines se vidèrent instantanément de leurs occupants. Nous assistâmes alors à une poursuite du plus haut comique, la forte femme rouant de coups le gigolo, le poussant le long de la coursive et lui faisant dégringoler de haute lutte l'échelle de dunette.

— Qu'on mette ce chien aux fers ! hurlait-elle. Allez vous cacher, maudit luxurieux, suborneur ! Je ne veux plus vous voir à bord.

Bref, le bel Antonio dut réintégrer le gaillard d'avant et reprendre l'ordinaire des figurants. Mais il ne manqua pas de raconter à ses camarades ce qu'il avait entendu au carré. Il leur dit que le général était fou et qu'il avait certainement l'intention de les vendre comme esclaves, que ce bateau faisait la traite des blancs et qu'il fallait s'en évader au plus tôt.

Ces histoires provoquèrent naturellement une certaine effervescence et une certaine inquiétude parmi les

figurants. Nenni en profita pour organiser une mutinerie. Il n'attendait plus qu'une occasion pour la faire
éclater, et c'est cette occasion que Jérôme fit naître sans
s'en douter par sa proposition d'école du soldat.

Pour faire manœuvrer les figurants, il fallut en effet
leur distribuer les armes et quand ils se virent armés,
sur un ordre de Nenni, ils se révoltèrent. Ce fut le borgne qui exprima leurs revendications :

— Vos intentions sont louches, me dit-il. Nous
avons compris que le cinéma n'était qu'un prétexte
pour nous attirer à bord de ce bateau. Nous exigeons
que le *Libertador* fasse immédiatement demi-tour et
nous ramène à Hambourg où, après nous avoir payé
une honnête indemnité, vous vous expliquerez avec la
police. Si vous refusez, nous prendrons le commandement du bateau par la force.

C'était la classique mutinerie. L'attitude de ces hommes était rien moins que rassurante. Ne voulant pas
brusquer les choses, je déclarai que j'allais en référer au
général et je réunis dans le carré tout l'état-major en un
conseil de guerre extraordinaire.

Avant que j'eusse fini d'exposer la situation, la générale me coupa la parole.

— Ce n'est pas grave, dit-elle, laissez-moi faire. Je
sais comment apaiser ces hommes. Il en coûtera à ma
pudeur, mais nous n'avons pas le choix des moyens.
C'est ce petit putain d'Antonio qui est cause de tout.

Il ne se console pas d'avoir été chassé et il a fomenté la révolte en excitant la jalousie de ces hommes simples. Ils veulent prendre par la force ce que l'un d'eux obtint par la faveur. Eh! bien, je vais, quoiqu'il m'en coûte, leur proposer un accommodement.

Elle sortit du salon en soupirant et s'avança en haut de l'échelle de dunette. Sur le pont les figurants attendaient avec impatience le résultat de nos délibérations.

— Garçons, cria-t-elle, je devine les sentiments qui vous animent. L'instinct qui vous pousse, s'il n'est pas noble, est excusable : c'est celui du mâle contraint dans sa chair depuis plusieurs semaines. Vous voulez des femmes...

— Eh! eh! opina la foule, pourquoi pas?

— Eh! bien, poursuivit Pilar, quoiqu'il en coûte à ma pudeur, je vous dis : En voici une !

Dans un beau mouvement d'éloquence elle ouvrit les bras, tendant les seins comme une figure de proue.

Une rumeur de surprise courut dans l'auditoire qui ne comprenait pas encore clairement le sens de ce discours. La générale précisa aussitôt sa pensée.

— Je suis prête à recevoir aujourd'hui dix d'entre vous successivement, et ainsi chaque jour jusqu'à la fin de la traversée. Que tout rentre dans l'ordre et dans la discipline, et vous connaîtrez les bras de Maria del Pilar !

Cette fois les figurants avaient compris. Antonio le premier cria son insulte : « Merci, je sors d'en prendre ; ta viande ne vaut pas le voyage ! »

— Fais-toi raser d'abord ! cria un autre.

— Va te cacher, maman la Pudeur !

— Au Zoo ! Au Zoo ! se mirent-ils à scander en chœur.

Ce fut une tempête de huées, de quolibets accompagnés de gestes obscènes. Des mégots, des vieilles chiques commencèrent à pleuvoir sur la générale qui répondit par des injures en montrant un poing impuissant.

Le général avec douceur la prit par le bras et l'entraîna.

— Rentrez, ma chère, le règne du mufle est commencé.

— Dieu merci ! soupira Dom Paez qui cherchait déjà un barème nouveau de pénitence pour péché de chair multiplié par dix.

— Il est clair qu'ils repoussent les propositions de paix, dis-je. Il faut donc trouver une autre solution.

— Nous serons tous massacrés ; il vaut mieux céder, dit Goratchkoff.

— Jamais ! s'écria le général. Je veux bien doubler leur salaire, mais si près du but, à aucun prix je ne consentirai à faire demi-tour.

Jérôme, qui n'avait pas encore ouvert la bouche, donna soudain un violent coup-de-poing sur la table et s'écria :

— À la fin, laissez-moi rigoler, vous tous, avec vos discussions, vos négociations et vos foies blancs. Des mutins comme ça, j'en fais chaque matin au N° 100 à bâbord. C'est à coups de botte qu'il faut les mater et si vous ne savez pas comment vous y prendre, je vais vous montrer. À moi tout seul.

— Mais ils sont armés, objecta quelqu'un.

— Armés de quoi ? De fusils sans cartouche et de pétoires sans gâchette. J'en sais quelque chose, c'est moi qui ai fait la distribution des armes. Il n'y a pas un homme sur dix qui ait reçu des munitions convenant à son arme. Tandis que le colt du général et le 92 du capitaine fonctionnent à merveille. Et s'ils s'enrayent, j'ai au bout des bras des poings qui, eux, ne manquent jamais leur coup.

— Dans mes bras ! cria le général. Dans mes bras ! Je te baptise brave des braves. Allons ! À l'attaque !

— Un instant, fis-je. J'approuve entièrement l'idée de Jérôme, mais avant la bataille – qui promet d'être chaude, car nous ne sommes guère qu'une vingtaine y compris l'équipage contre cinquante gaillards qui n'ont pas froid aux yeux – il faut épuiser les chances d'un règlement pacifique. Je propose qu'un habile ambassadeur leur soit envoyé pour leur expliquer que le général double leur paye, que nous sommes à moins d'une semaine de l'endroit choisi pour tourner notre grand film, bref apaiser les esprits et faire déposer les armes. Ce résultat obtenu, je fais empoigner Nenni le meneur et je le colle aux fers à fond de cale. Les autres ne bougeront plus et feront pour le général de bons soldats au moment voulu. Tandis que si nous nous entr'égorgeons maintenant, que nous restera-t-il pour affronter l'ennemi ?

— C'est juste, dit le général.

— Soit ! fit Jérôme. Mais c'est perdre du temps.

— Je propose que Martin qui a la langue bien pendue soit notre ambassadeur.

Martin fit la grimace.

— Je n'ai guère envie d'aller faire la causette avec un type comme Nenni, dit-il en se caressant la gorge.

— Imbécile, répliqua Jérôme. Ce n'est pas pour jouer aux dés avec lui que tu vas le voir. Il n'a plus de raison de t'en vouloir. C'est de l'histoire ancienne. Au contraire, tu seras bien accueilli. Tu vas prendre un tonnelet de rhum, tu descends chez les figurants et tu leur offres à boire de la part du général. Puis tu leur expliques le coup à ta manière, tu te débrouilles, quoi ! Le soleil tombe, tu as toute la nuit pour les convaincre. Allez, file ! Demain matin, tu nous diras s'ils sont contents ou non, et nous agirons alors en conséquence. Bonsoir.

— Mais… fit Martin peu convaincu.

— Allez, jeune homme, dit le général. Et ne ménagez ni le rhum ni l'argent. Je paierai ce qu'il faudra pour conserver mes soldats.

— Bonne chance ! dis-je…

À peine eus-je prononcé ce souhait que je le regrettai. Mon mauvais œil venait de regarder Martin. C'en était assez pour lui porter malheur.

— Un de plus ! pensai-je. L'affaire n'est pas finie.

Mon pressentiment ne me trompa point. Après une nuit blanche au cours de laquelle nous entendîmes les figurants mener grand bruit, rire, chanter, applaudir, huer, quand l'aube parut, je sortis sur le pont, et la première chose qui frappa mes yeux, ce fut le corps de Martin qui se balançait pendu au bras du mât de misaine.

Les figurants, vautrés çà et là sur la plage avant, ronflaient et cuvaient leur rhum. Nenni, lui, ne dormait pas. Quand il m'aperçut, il se dressa d'un bond, s'accouda à la rambarde qui dominait le pont inférieur et me cria :

— Tu vois, capitaine, quand c'est moi qui commande à bord, ce que j'en fais des tricheurs.

Et il éclata de rire.

Je demeurai une minute muet de saisissement. À quelques mètres de moi, le visage du pendu me présentait son affreux rictus ; les yeux ouverts, la langue pendante et noire, un raidissement de tous les muscles avait fait grandir son cadavre qui tournait doucement au bout du filin. Chaque fois qu'il me faisait face il semblait me regarder avec terreur. « Le mauvais œil continue ses méfaits, pensai-je accablé ».

Nenni riait toujours. Je n'oublierai jamais ce démon de la haine, brèche dent, le cheveu en bataille, le torse maigrelet couvert d'une chemise rose, sale et déchirée, qui vomissait des injures mêlées de rires, alors qu'il y avait entre nous deux ce cadavre pendu oscillant à la brise dans l'aube blême.

— À moi ! À moi ! criai-je.

Sur la passerelle supérieure, le bossman ayant lâché la roue se pencha par-dessus la lisse, aperçut le pendu et poussa un juron d'effroi.

— Préviens M. Borel, lui dis-je.

Mais déjà Borel qui était de quart avait rejoint le bossman.

— Qui est ce pendu ? demanda-t-il car il était myope.

— C'est Martin, répondis-je.

— Bon ! J'envoie dérouler le guindeau. Mais il doit être déjà trop tard.

— Tout le monde sur le pont ! criai-je, et quatre hommes pour arrêter Nenni. C'est lui l'assassin !

Le soleil commençait à sortir de l'eau. Sur la mer plate notre cargo, ce joujou, filait tranquillement ses dix nœuds, grignotant des milles de solitude bleue. Dans la lumière neuve du jour, sur ce bateau paisible qui fumait doucement comme un flâneur, la présence de ce pendu choquait, scandalisait comme une faute de goût, un manque de tact saugrenu. On s'étonnait de le voir là au bout de son filin, avant même de s'en effrayer ou de se demander de quel drame il était la victime. Je n'avais aucune sympathie pour ce Martin et je n'étais nullement porté à m'apitoyer sur son sort mais je ne pouvais détacher mes yeux de la grimace atroce de son visage. Parodiant une publicité qui s'étale sur les murs au moment de la chasse, j'étais obsédé par ce slogan : Le mauvais œil tue vite, tue bien, sans recul.

Cependant, le général, Jérôme, M. Kock et Schutz étaient sortis à leur tour du salon. Les matelots que j'avais fait alerter montaient au galop sur le pont ; on entendait les claques sourdes que leurs pieds nus donnaient aux planches des coursives ; et Borel parvenu au guindeau mettait le moteur en marche pour dérouler le filin et déposer le pendu.

— Mille millions de tonnerres ! jura le général.

— Homph ! fit M. Kock en avalant sa barbe.

Schutz ne dit rien, mais il perdit en une seconde son beau teint coloré de fille. Quant à Jérôme, en apercevant son camarade raide mort entre deux ciels, il eut un haut-le-corps, serra les dents, releva avec les coudes la taille de son pantalon, puis murmura : « C'est bon, on y va ! » Sans hâte il descendit l'échelle de dunette, traversa le pont de cale et commença à gravir posément l'échelle de gaillard.

Le rire provocant de Nenni s'était éteint. En voyant approcher Jérôme, l'Italien comprit le danger et à coups de pied il essaya de réveiller les figurants.

— Debout, fainéants, cria-t-il. Aux armes ! On nous attaque.

Quelques-uns se levèrent la bouche pâteuse. Mais déjà Jérôme avait pris pied sur la plage avant.

— Arrière ou je tire ! cria Nenni en brandissant un gros revolver à barillet.

Il appuya sur la gâchette, une fois, deux fois, dix fois, On entendit le déclic du chien, mais aucune percussion ne se produisit. Jérôme avait prévu juste : leurs armes n'avaient pas de cartouches. Alors, rageur, l'Italien jeta son revolver, et ramassant un fusil, se mit à faire des moulinets insensés.

Le général, pistolet au poing, avait couru rejoindre Jérôme. Nous l'avions suivi, Kock, Schutz et moi, et nous arrivâmes juste à point pour empêcher cinq ou six figurants de porter secours à Nenni. Parmi eux, se trouvait Antonio. Le général s'approcha de lui et sans un mot, à bout portant, lui fit sauter la cervelle. La belle tête transpercée roula sur le pont, et le corps tendre, allongé pour sa mesure définitive, eut deux ou trois soubresauts avant de rendre l'âme. Ce fut le seul coup de feu tiré mais il me donna à penser que le général n'était pas aussi fou qu'il en avait l'air. Il avait choisi sa victime avec un bonheur tel que le hasard ne suffisait pas à l'expliquer.

Les figurants, terrorisés par cet exemple, se tinrent cois. Leurs armes inutiles jonchaient le pont. Instinctivement ils s'étaient groupés en troupeau craintif et contemplaient avec une stupide indifférence la fin du drame.

Nenni continuait à faire tournoyer son fusil comme une massue. Jérôme, immobile, attendait qu'il se fatiguât. Cela dura bien un quart d'heure, quinze minutes interminables pendant lesquelles l'Italien en proie à une frénésie hystérique, dansant, jurant, fou de peur, continua son manège. Mais ses bras bientôt s'ankylosèrent, la tête lui tourna ; haletant, bavant, ignoble à voir, il tomba à genoux, déchira à coups d'ongle sa chemise rose et se mit à se signer à toute vitesse, inlassablement, en marmonnant dans un jargon incompréhensible.

Jérôme s'approcha et lui cracha en plein visage. Nenni poussa un cri et s'écroula comme frappé de la foudre. Nous regardions cette scène avec répugnance. Le général baissait les yeux et d'un geste machinal essuyait avec son pied sur le pont la tache de sang autour de la tête d'Antonio. Jérôme se baissa, prit Nenni avec un dégoût visible par les chevilles et par les poignets. Des prières ou des injures, qui saura jamais ce qui sortait à flots pressés, hachés de hoquets d'alcool, de la bouche de l'Italien. Sans hâte, Jérôme se dirigea vers la rambarde et laissa tomber son paquet geignant par-dessus bord. Nous nous précipitâmes. Le cargo filait ses dix nœuds et son sillage sur la mer plate laissait des rides à peine plus soucieuses que d'habitude.

— Une merde à la mer ! dit Jérôme en s'essuyant les mains.

— C'est juste ! fit le général.

— Ce fut toute l'oraison funèbre de Nenni. Les figurants, mal dessoûlés, nous regardaient avec une épouvante stupide.

— Maintenant, repos ! cria M. Kock. Pour aujourd'hui la haute école est terminée. Quelqu'un a-t-il encore une réclamation à présenter ?

« On ne peut pas vivre et rester honnête » dit un air connu. C'est ma foi vrai, à moins de vivre comme une plante, immobile, figé dans son métier et sa famille. Mais la plante est heureuse ; elle vit, elle meurt sans savoir, sans se soucier d'autre chose que des saisons qui ramènent les fruits et les fleurs, le sommeil et la renaissance ; une graine se détache d'elle et voilà sa progéniture assurée, sa destinée comblée. L'Homme n'a pas ce bonheur. Oppressé entre deux infinis, le temps et l'espace, pour se rassurer, pour se prouver à lui-même qu'il est libre de déplacer ses horizons, il veut bouger, voyager. Ce désir d'agitation, qui peut paraître dérisoire au philosophe, qui ne procure en fin de compte que déboire et écœurement, est pourtant si fort au cœur de certains hommes qu'il les arrache à leur existence, les déracine et les jette pantelants dans les pires hasards où l'on perd santé, honneur, bonheur. C'est ce que les gens de plume appellent l'aventure ; ils ont tenté d'ennoblir cette passion malsaine ; ils ont brodé du pittoresque et du clinquant sur cette misère, sur cette pouillerie. Les littérateurs, ces sédentaires peureux, ont pris un malin plaisir à exalter les risques de l'aventure. Et de pauvres têtes folles, comme vous, s'y sont laissées prendre. Mais ils oublient de dire, ces niais, que, quelles que soient les aventures que l'on vive, les minutes qui tombent une à une ne nous en ensevelissent pas moins inéluctablement sous leur avalanche, nous font sombrer à notre tour de bête dans la nuit des temps. Alors pourquoi bouger, s'exciter, tenter de s'évader ? Restez plutôt tranquilles chez vous et soyez honnêtes. Laissez aux seuls héros le privilège d'échapper aux cadres étroits de la vie quotidienne. Ils sont assez, ceux dont l'aventure personnelle se confond avec celle de l'humanité, les Prométhée voleurs de feu qui du moins rapportent quelque chose à la pauvre race humaine. Mais nous autres, petits requins de basses eaux, trublions qu'un prurit d'agitation démange, aventuriers sans tête et sans conscience, rentrons dans le rang, et bien des malheurs seront évités. Jeune homme, c'est pour vous que je parle, pour vous dont le cas n'est pas encore désespéré. L'Aventure, vous voyez ce que c'est en somme : des coups donnés et reçus, des bagarres ridicules entre hommes qui s'affrontent comme des bêtes, toujours la même chose, seul le décor change. Dans mon histoire, tous les mauvais garçons qui s'y agitent auraient pu choisir une voie plus honnête. Le général, ce pauvre fou, aurait dû être interné.

Jérôme aurait fait un bon pêcheur breton sur les bancs de Terre-Neuve ; Martin aurait pu devenir à Paris le roi des camelots ; M. Kock était fonctionnaire allemand, à cinq ans de sa retraite ; il avait une femme et deux fillettes ; qu'avait-il besoin d'écouter le démon qui le poussa à s'embarquer sur le *Libertador* ? Peter Borel, paisible officier mécanicien, aurait pu finir ses jours dans son Danemark, sans briser sa carrière, risquer sa vie en suivant notre folle équipée… Schutz était docker à Hambourg, que ne l'est-il resté ? ce silencieux rouquin, à quel ordre impératif obéit-il donc ? Seuls, peut-être, ont une excuse les cinquante figurants que nous engageâmes pour faire du cinéma et que l'on jeta dans la guerre civile. Ce bétail humain, je ne veux pas le condamner, mais je dois pourtant remarquer que c'était bien aussi une armée de l'aventure, prête à tous les risques, à tous les sacrifices, à tous les crimes, pour s'évader. Alors ? Donnez des lois aux pauvres hommes, des garde-fous.

Quant à moi, mon père le bedeau voulait faire de son fils un monsieur. Pour le récompenser je m'évadai à l'âge de 16 ans du petit séminaire de Rouen, j'embarquai comme mousse au Havre pour une croisière de deux ans. Je rentrai, il me pardonna, car j'invoquai ma vocation de marin. Pour la combler, il me fit faire d'autres études. Je devins officier de la marine marchande. Puis j'obtins mon brevet de capitaine au long cours. Si je n'avais pas eu le mauvais œil, si je n'avais pas perdu quatre navires en deux ans, je n'aurais sans doute jamais cédé à la tentation du *Libertador*.

Tout cela pour vous faire comprendre que le démon de l'aventure prend les voies les plus imprévues pour se glisser en nous. On se croit en sécurité, bien aiguillé sur la bonne voie. Et voilà qu'un hasard, un coup de tête ou de littérature, un mirage, que sais-je, nous fait bifurquer. C'est trop tard pour se repentir, le passé est irréparable; et puis, rien ne sert à rien…

Le capitaine PetitGuillaume soupira et ce jour-là il n'alla pas plus avant dans son récit.

Le lendemain je retournai à la Blaterie.

— Eh! bien, capitaine, lui dis-je, ne me raconterez-vous pas la fin de la traversée? Je brûle d'arriver au Venezuela.

PetitGuillaume sans se faire prier davantage reprit son récit:

— Nous arrivâmes sans encombre, et sans forcer la vitesse car je ne voulais pas être obligé de charbonner dans un port des Antilles.

Selon les instructions du général j'avais navigué légèrement en dehors des routes habituellement fréquentées. Mais en arrivant en vue de l'île Margarita il m'enjoignit de suivre exactement la ligne des caboteurs qui, longeant la péninsule de Araya, font le trafic entre Carupano et Cumana, capitale de la province de Sucre. C'est de cette province que devait partir la révolution. Le terrain était, paraît-il, bien préparé par des agents actifs et sûrs. Cumana nous recevrait comme des triomphateurs. En 24 heures des hommes à nous auraient fait acclamer le nom du général dans trois provinces : Sucre, Anzoategui et Monagas. Les villes de Campano, Maturin et Barcelona se rallieraient à notre cause. Il ne resterait plus qu'à marcher comme la foudre sur le district fédéral, s'emparer de la Guayra et de Caracas où l'enthousiasme pour le libérateur emporterait les dernières résistances, et cueillir au nid dans sa luxueuse résidence de Maracay le dictateur détesté. Tout avait été combiné par messages chiffrés, avant notre départ, entre le général et ses partisans. Il ne manquait que des armes et une petite troupe organisée et résolue qui formerait le noyau de la grande armée libératrice. Cette troupe c'était nos figurants qui étaient censés la former ; les armes c'étaient les pétoires, les tuyaux rouillés, tous les vieux rossignols que Gonzalès avait embarqués. Quant au secret du complot, on pouvait être sûr qu'il avait été bien gardé.

Tout cela était attendrissant et ridicule. Je m'en amusais comme d'une farce de collège. La pensée que la farce pouvait finir en tragédie ne m'était pas encore venue ; aussi n'avais-je aucun scrupule à entretenir les illusions du général en jouant le jeu avec le plus grand sérieux.

Depuis que nous étions en vue des côtes du Venezuela l'exaltation de notre conquistador allait croissant. Il saluait la terre de tirades grandiloquentes, refaisait à tout moment fiévreusement ses plans de bataille, convoquait son état-major, commandait tout le monde sur le pont et lassait la patience de chacun. Le pauvre Goratchkoff, qu'inquiétait cette agitation de mauvais augure et qui respirait avec angoisse cet air d'hé-roïsme, courait dans tout le bateau comme un rat enfumé, tâchant de se renseigner sur l'imminence de la bataille.

— Pas d'ennemi à l'horizon pourtant, disait-il pour se rassurer. Nous triomphons sans coup férir. Hurrah ! général. Votre révolution se fera sans verser une goutte de sang.

— N'y comptez pas trop, monsieur, répondait le général gravement. Il faut des morts pour faire de grandes choses, beaucoup de morts. Et des batailles pour consacrer notre héroïsme et notre gloire.

— Ah ! mon Dieu ! soupirait le petit homme. Ne pouvez-vous du moins débarquer les civils pour les mettre en sécurité le temps que vous accomplissiez vos exploits. Car je suis civil de corps et d'esprit. Dans la guerre je ne puis vous être d'aucune utilité, tandis que dans la paix je pourrai gérer vos finances, administrer vos Beaux-arts, l'agriculture peut-être ou les chemins de fer. Tenez, un sous-secrétariat d'État au tourisme, j'y ferai merveille.

— Il n'y a pas de tourisme au Venezuela, monsieur. Il n'y a pas de chemins de fer non plus d'ailleurs. Ni de Beaux-arts. Ni d'agriculture. Ni de finances.

À chaque mot le général avançait d'un pas, obligeant Goratchkoff à reculer; il l'écrasait à la fois du poids de son mépris et en lui marchant sur les pieds.

— Il n'y a rien, monsieur, au Venezuela qu'un grand pays qui gémit sous le joug d'un tyran et que je vais libérer de ses chaînes. Après, nous défricherons les forêts vierges, nous bâtirons des villes, nous lèverons des armées et nous serons la Sparte de l'Amérique australe. Les petits hommes, les ratés, les lâches, nous les supprimerons, vous m'entendez, j'ai besoin de héros et non de coquebins efféminés.

Le pauvre Goratchkoff dont l'élégance avait bien souffert pendant la traversée suait d'angoisse sous son canotier. Le soleil des Tropiques lui donnait des vertiges, des éblouissements. Il s'était peu à peu habitué au mal de mer, mais la chaleur lui faisait maintenant le foie comme un caillou et il souffrait de se sentir faible, malade, abandonné, en proie à des forces implacables qui l'écrasaient, lui sans défense, et le précipitaient dans la plus dangereuse aventure. La menace du général était cette fois si précise qu'il s'évanouit en bafouillant des excuses sur sa petite taille et sa mauvaise santé.

La générale qui assitait à cette scène vint au secours du russe.

— Le pauvre cher homme, c'est une âme d'élite. Gonzalès, traitez-le avec ménagement; la cité future aura besoin d'artistes. Il a tant souffert dans sa délicatesse pendant cette rude traversée.

Elle lui cala la tête sur sa forte poitrine et lui baisa le front. Sa moustache piqua le délicat épiderme du Russe qui ouvrit les yeux.

— N'aie pas peur, chéri, murmura la générale, tu resteras à bord bien tranquille. C'est à terre qu'aura lieu la bataille et nous reviendrons te prendre quand nous serons vainqueurs.

— Moine, fit-elle en se tournant vers Dom Paez, allez quérir un verre de rhum pour ce pauvre seigneur.

— Je refuse, Madame, répondit Dom Paez très digne. Le général a raison. L'heure n'est plus à traiter les faibles mais à exalter le courage des forts.

Lui aussi avait été gagné par la fièvre de l'héroïsme.

L'apparition du Pape sur le pont n'aurait pas causé plus de surprise à la générale que le refus insolent du moine.

— Christ sang de Dieu! hurla-t-elle. Moine, viens ici, fils d'âne, excrément de crapaud! Tu te permets de désobéir? Attends un peu que je t'éventre, que je t'arrache sous la robe ton cœur de poulet et ce qui reste de ton sexe de chapon.

Elle se redressa d'un bond; Goratchkoff roula par terre en poussant des cris. Le moine devant une telle colère prudemment battit en retraite, mais la générale le rejoignit et le pourchassant à grands coups de botte dans le derrière: « Va, faux moine! »

Dom Paez troussant sa robe prit la fuite en invoquant le ciel contre la fureur de sa pénitente.

— Sus! Sus! criait l'équipage au comble de la joie.

Moi-même je ne pouvais garder mon sérieux. Mais à mes côtés le général méditait gravement.

— Eh bien, capitaine, me dit-il soudain, ma femme a raison : c'est bien ainsi qu'il faut traiter la religion. Le clergé régulier ou séculier doit être au service des bons catholiques comme nous. S'il n'obéit pas, la manière forte est la seule bonne. Ces mâtins de curés dans le domaine spirituel ont sur nous des avantages dont ils abusent en nous imposant des jeûnes et des pénitences, des messes et des neuvaines ; il est bien juste que dans le domaine temporel nous nous rattrapions. Quand je serai le maître du Venezuela, je laisserai à l'Église la juridiction des âmes, mais par la botte de Bolivar! il faudra qu'elle me serve.

Après une navigation prudente qui dura trois jours, laissant à tribord l'île Margarita, puis celle de Cubagua, je mis le cap au sud et longeai à quelques encablures la côte plate de la péninsule de Araya. Des bancs de sable rendent ces parages dangereux, mais le général tenait à ne pas arriver en vue de Cumana par la mer ouverte. Il fallait donc longer cette maudite côte où l'armée des palmiers pousse jusque dans la mer ; un petit ressac, une mauvaise bave d'écume indiquaient seuls les bancs affleurant. Nous marchions en aveugles, à la sonde. Le général, l'œil collé à la lorgnette, affirmait à tout instant que l'on était déjà arrivé, que c'était bien là le lieu du rendez-vous où les chefs du complot devaient venir prendre langue avec nous. Mais rien ne ressemble à une crique de sable bordée de palmiers comme une autre crique de sable bordée également de palmiers. Et il fallait repartir plus loin au risque de s'échouer.

La chaleur était insupportable. Nous naviguions si près de la côte que les moustiques nous rendaient visite chaque nuit. Nous étions sans défense contre leurs atta-ques. N'ayant sans doute pas de sang frais à boire à des kilomètres à la ronde, ils s'abattaient sur le bateau par nuages compacts dans un bruit de moteur, nous enve-loppaient de leur ronde folle au zézaiement lançinant qui à la longue rend fou ; et la bataille commençait. Ce n'était que jurons, claques sonores, soupirs de désespoir, cavalcades sur le pont et dans les coursives. Le général armé de son large feutre résistait héroïquement jusqu'au matin. Nous autres, hommes à cuir dur, enduits de vinaigre, nous supportions tant bien que mal le fléau. Mais Goratchkoff et sa nièce, bouffis, sanguinolents, sans un coin de peau où ne se soit enfoncé un petit dard suceur, mordus jusqu'aux paupières et aux parties intimes, enduraient un supplice qui pouvait les conduire à la mort. Les moustiques, friands de cette blanche chair slave, littéralement les dévoraient vivants.

Goratchkoff se débattait comme un diable, poussait des cris de goret, et rendu fou tenta même de se jeter à la mer.

— J'aime mieux les requins que les moustiques! hurlait-il.

On dut l'attacher sur son lit, ce qui eut pour effet de le livrer absolument sans défense, comme une viande à l'étal, aux morsures des insectes.

Quant à Olga, elle subissait les moustiques comme les attentats des hommes, sans se plaindre, sans même essayer de les chasser. Immobile dans son fauteuil, les mains posées sur les cuisses, elle avait le visage, les bras, les chevilles, noirs de moustiques comme une immondice de mouches. Un nuage bourdonnant l'enveloppait, des millions de dards s'enfonçaient dans sa chair; elle ne bougeait pas, elle ne se plaignait pas. Mais après une nuit de ce traitement, elle prit une teinte d'aubergine et accusa quarante degrés de fièvre. Ses yeux qui pouvaient à peine s'ouvrir dans son visage boursouflé, étaient pourtant du même bleu limpide, éclair de pureté étonnée sur le carnage fait de son corps.

Pour la seconde nuit, Jérôme eût pitié d'elle et lui prépara un appareil protecteur de fortune. On la fit asseoir nue dans un tonneau rempli d'eau vinaigrée où elle trempait jusqu'au menton, et on lui couvrit la tête d'un voile de gaze que l'on noua au bord du tonneau.

Je n'ai jamais vu, dans toute ma vie de marin, spectacle plus étrange, plus cocasse, plus inquiétant que celui de ce tonneau posé sur un pont de cargo, couvert d'un voile de communiante, et dans lequel dormait une fille nue, immobile, muette, sage comme une image, aussi naturelle qu'une idole, cependant que la ronde folle des moustiques zézayait à ses oreilles, que le ciel des Tropiques allumait par-dessus les câbles des mâts sa floride d'étoiles, que la côte hostile tendait sur l'horizon immédiat de bâbord le rempart d'une végétation étouffante, crénelé d'un azur presque lumineux, cependant qu'à tribord se déployait à perte de vue le tapis de mousse marine soyeux, léché, poli, qui s'élevait insensiblement, marqué seulement de paliers de lune, jusqu'à rejoindre le firmament, cependant que des hommes sortis du ventre du bateau venaient rôder de temps en temps autour du tonneau, vaguement inquiets, flairant je ne sais quelle supercherie de l'inconnu.

Deux nuits de suite Olga les passa dans son tonneau. Enfin, le matin du quatrième jour, le 29 août si j'ai bonne mémoire, nous doublâmes l'extrême pointe de la péninsule, une espèce de dent avancée qui fait face à Cumana et ferme le golfe de Cariaco ; et après avoir remonté quelques milles au Nord, toujours longeant

les sables, nous aperçûmes par tribord la côte du continent où s'ouvrait le port de Cumana. On distinguait déjà le château qui défend sa rade et le clocher de sa vieille église espagnole dressé comme une guillotine à double lunette.

— Hurrah! Hurrah! Hurrah! cria le général. Nous y voici.

Et se tournant vers moi:

— Capitaine, tu as conduit à bon port Gonzalès et sa fortune, je ne t'oublierai pas. Maintenant il faut s'embosser dans cette crique, à l'abri de ce rideau de palmiers, hisser le signal au grand mât et attendre des nouvelles de nos amis. Ils sont prévenus, ils guettent notre arrivée, ils seront là ce soir.

— Quel est le signal? demandai-je.

— C'est un pavillon blanc et jaune sur lequel ma femme pendant les durs mois d'exil a brodé elle-même mes initiales et les signes de la liberté. Cette promesse sacrée... Pilar! cria-t-il, Maria del Pilar, apportez le signal!

La générale se tournant vers Dom Paez:

— Moine, allez chercher le signal.

Le moinillon, rendu prudent par la récente correction que lui avait valu sa tentative d'indépendance, se précipita vers la cabine de sa maîtresse. Au bout d'un assez long temps, il revint tout penaud et annonça qu'il n'avait pas trouvé le signal.

— Moine, tu es un sot, dit Pilar. J'y vais moi-même.

Mais ses recherches ne furent pas plus fructueuses et elle revint à son tour bredouille.

— Trahison! s'écria Gonzalès. On a volé le signal! Qu'on fouille le bateau!

— Ne croyez-vous pas, général, fis-je, qu'il vaudrait mieux en improviser un autre. Le temps presse, les minutes perdues peuvent être fatales à la révolution.

— C'est juste, dit le général. Mais je regrette mes initiales. Après la victoire il faudra tirer au clair la disparition du signal. En attendant, qu'on me couse sur l'heure un pavillon blanc et jaune.

En un tournemain, avec la moustiquaire d'Olga et une chemise de la générale on eut fabriqué un signal fort convenable qui fut hissé au sommet du grand mât.

Il ne restait plus qu'à attendre les événements. C'est ce que nous fîmes tout le jour sous un soleil blanc, inhumain, qui obligeait l'équipage à arroser tous les quarts d'heure le pont pour pouvoir y marcher sans se brûler les pieds.

Cependant Gonzalès faisait fiévreusement ses derniers préparatifs. Il avait déjà revêtu son uniforme de général vénézuélien, assez sobre à la vérité, trop même pour son goût puisqu'il avait ajouté une ceinture de soie aux couleurs nationales terminée par des glands d'or qui lui battaient entre les jambes : c'était le symbole du pouvoir suprême. Il avait remplacé son large feutre noir par la casquette réglementaire, mais il avait ajouté une visière dorée. Manifestement il regrettait les plumes, les galons, les brandebourgs. Son équipement était complété par un sabre de cavalerie, un étui revolver grand comme une botte de carabine, une paire de jumelles et un sifflet qu'il portait en sautoir, enfin une vingtaine de décorations parmi lesquelles figurait en bonne place notre Légion d'Honneur qu'il avait obtenue du temps qu'il était attaché militaire à Paris.

Son premier soin fut de faire distribuer les uniformes aux figurants. On tira de la cale quatre grandes caisses et l'on déballa leur contenu, à l'ombre du château arrière. C'était de vrais uniformes de théâtre ; il y avait tous les grades, toutes les armées, toutes les époques. Gonzalès avait acheté tout ce qu'il avait pu trouver chez les fripiers de Hambourg sans se soucier de l'unité vestimentaire de sa troupe. L'important était seulement que chacun fût habillé d'une façon martiale. Pour l'uniformité, un lot de casquettes réglementaires suffirait à la créer.

M. Kock fut le premier à s'habiller. Il choisit un uniforme de sapeur de la garde napoléonienne qui lui allait à merveille ; il n'y manquait que le bonnet à poils. Jérôme trouva un costume de marin américain qui par chance était à sa taille. Schutz tomba sur une vareuse kaki, mais sans grenades au col, qui lui rappela la Légion et lui tira des larmes silencieuses. Quant à Peter Borel, il fallut renoncer à l'habiller en raison de sa corpulence et de sa petite taille. D'ailleurs ses fonctions de second capitaine à bord du *Libertador* lui permettaient comme à moi d'échapper à cette mascarade ridicule.

Quand l'état-major fut en tenue, on appela les figurants et on leur annonça que l'on commencerait à tourner le lendemain. Leur ahurissement devant un tel décrochez-moi-ça fut joyeux à voir. Ils se mirent pourtant en devoir de trouver dans le tas culotte à leur taille. L'enfantillage et le goût du déguisement étant très forts chez l'homme, ce fut bientôt une joyeuse frairie, une chienlit épique, chacun avec des rires et de grasses plaisanteries cherchant à se faire avec ces dépouilles de héros l'uniforme le plus comique possible.

Goratchkoff, tout enduit de pommade, à demi impotent encore de ses piqûres de moustiques, reprenait vie à ce spectacle. Il papillonnait de groupe en groupe, donnait des conseils, fouillait dans les hardes avec délice, poussait des cris d'admiration devant les meilleurs déguisements et ne se lassait pas de complimenter les plus beaux militaires.

Au bout d'une heure ou deux, tout le monde fut habillé. Jamais on ne vit, même aux plus beaux jours de carnaval, troupe plus bigarrée, plus grotesque, plus sordidement déguisée. Il ne restait plus au général qu'à passer son armée en revue. C'est ce qu'il fit avec une dignité et un sérieux tels que j'en vins à ce moment à douter si au lieu d'un illuminé ce n'était pas plutôt un humoriste de génie.

Alignés sur le pont, les cinquante figurants se tenaient dans un garde à vous approximatif, dégouttants de sueurs, congestionnés sous leurs uniformes d'Europe dont certains avaient dû faire la retraite de Russie. Le général passa sur le front des troupes. Devant chaque homme il s'arrêtait, le regardait dans les yeux, rectifiait un détail de l'équipement. Mes matelots n'en croyaient pas leurs yeux. Ils n'osaient pas rire tant le prestige du cinéma est grand ; ils croyaient naïvement assister à une de ces reconstitutions historiques qui les avaient enchantés sur l'écran.

Leur illusion fut confirmée par l'initiative que prit la générale Pilar de faire mettre en position les caméras.

— Cette heure historique doit être inscrite sur la pellicule, s'écria-t-elle.

M. Kock et Schutz allèrent chercher les appareils et braquèrent les objectifs. Docilement le général recommença la revue, cependant que les opérateurs improvisés tournaient la manivelle. Tout le monde avait oublié qu'il n'y avait pas de film dans les caméras, et chacun se mit à jouer son rôle consciencieusement.

C'était à la fois loufoque et grandiose. La lumière des tropiques aveuglait les malheureux acteurs, la chaleur les faisait fondre, le soleil leur tapait sournoisement sur la nuque. Comme la revue s'éternisait, un premier soldat tomba frappé d'insolation, puis deux, puis trois. Il fallut se réfugier à l'ombre et dégrafer les dolmans qui menaçaient de faire périr toute l'armée avant le combat.

Mais le général, infatigable, déclara qu'il fallait avant la nuit avoir terminé le camouflage du cargo en navire de guerre. Pour donner du cœur au ventre à ses soldats, il fit percer un tonnelet de rhum et le boujaron commença à passer rapidement de main en main. Cette générosité fut accueillie avec enthousiasme et cinquante voix en son honneur entonnèrent *Der Klapper-stock*. Il s'en montra flatté.

Ceux qui n'étaient pas trop saouls entreprirent ensuite de hisser sur le pont les deux canons lance-harpons. On les fixa tant bien que mal sur la plage avant, de chaque côté du guindeau, bien en vue pour qu'ils produisent l'effet de terreur désiré. Comme il n'était pas question de bombarder les ennemis avec des harpons à baleine, on ne se préoccupa pas des munitions et on négligea même de désigner des servants pour les pièces.

L'artillerie du *Libertador* comprenait également un obusier de tranchée rouillé et un tube de 77 sans culasse, souvenirs de guerre dénichés chez l'antiquaire. On les mit en batterie à leur tour. Mais le général estima que cet armement était un peu maigre ; pour accroître

l'effet de terreur, il fit extraire de la cale une dizaine de tuyaux de poêle de grand diamètre et on perça dans la rambarde cinq trous à bâbord, cinq à tribord par où les faux canons purent passer leurs gueules menaçantes. Ainsi paré le bon vieux cargo avait fière allure. Un vrai épouvantail, un cuirassé de fête foraine. Mais l'imagination de Gonzalès ne lui laissait pas voir les choses sous ce jour. Il vivait son rêve aussi sincèrement, aussi sérieusement que les enfants qui, jouant aux corsaires, transforment un vieux fauteuil retourné en frégate à six ponts.

La générale Pilar avait certes beaucoup plus de bon sens et de clairvoyance que son mari, mais cette femme étonnante était une véritable aventurière, chaude de tous les désirs possibles, instinctive, brutale, passionnée, ne goûtant que le mouvement et la bagarre. Ce n'était pas un rêve, elle, qu'elle vivait, c'était un rôle de théâtre ; et pour bien jouer, le décor le plus rudimentaire lui suffisait. On aurait planté une pancarte dans le bassin du Luxembourg : « Ici mer caraïbe », une autre sur le Sénat : « Ici palais du dictateur vénézuélien », elle se serait jetée à l'eau et aurait pris d'assaut la Haute Assemblée. Il ne fallait donc attendre aucun éclair d'ironie, ni aucune influence modératrice de la part de cette virago assoiffée de coups durs. Le ménage Clarriarte roulait sans frein sur la pente de sa destinée. Et je commençais à comprendre seulement que nous arrivions au gouffre final où nous allions sombrer sûrement dans le ridicule, peut-être dans la tragédie.

Ce qui m'étonnait le plus c'est que de bons compagnons, raisonnables après tout quoique têtes brûlées, comme Jérôme, Kock, Schutz, Peter Borel, se laissent entraîner jusqu'au bout de cette folle aventure. Tant qu'il ne s'agissait que d'une plaisanterie, passe encore ! Mais maintenant que le drame devenait imminent, n'allaient-ils pas renoncer, revenir à la raison ? Ils n'avaient pas l'air d'y songer. Avec le plus grand sérieux, avec joie même, ils jouaient leur partie dans cette grande fumisterie. Ils prenaient visiblement leur rôle au sérieux, s'affairaient, donnaient des ordres, bref participaient sans restriction à cette agitation irréelle, à ce cauchemar absurde duquel je faisais mes premiers efforts pour me tirer indemne. Mais quelle attitude prendre, quelle solution adopter ? Mes appels à la raison resteraient certainement vains et je risquais de prendre ainsi à leurs yeux figure de traître. Avec des lascars aussi décidés, mon sort serait vite réglé. J'étais sûr de mes matelots, mais à nous vingt nous n'aurions pas résisté longtemps à l'attaque de ces forcenés. L'exemple de Nenni était fait pour m'inspirer la prudence. Il ne fallait donc pas les heurter de front mais plutôt ruser avec le péril. Toutefois, comme il ne me restait que quelques heures pour prendre ma décision, je me résolus à sonder prudemment les intentions véritables de mes camarades.

Le soleil commençait à tomber, et toujours aucune nouvelle des conjurés. Pour tromper l'attente et nous rafraîchir après cette dure journée nous piquâmes une tête dans la mer. Seul le général que sa dignité retenait à son bord ne participa point à ces ébats. Tous les autres y compris Olga et la générale se mirent à l'eau. Nous étions nus, bien entendu, et les deux femmes nous avaient imités, étant toutes deux, pour des raisons différentes d'ailleurs, ignorantes de la pudeur. Seul Goratchkoff s'était fait un cache-sexe avec une de ses cravates; dans cet accoutrement il ressemblait à un enfant Jésus chauve, obscène et mal enlangé. Pilar n'était pas belle à voir; mais je ne sais quelle cordialité débordait de ses formes relâchées. Malgré le système pileux abondant qui mettait des ombres sur plusieurs parties de son corps elle n'était pas indécente, elle faisait même presque habillée tant sa poitrine et ses hanches avaient de plis et de roulés. Quand elle plongea, ses seins la précédèrent comme deux poches de plomb, la tirèrent droite et cambrée au fond de l'eau; mais bien vite ils firent office de flotteurs et la ramenèrent à la surface où elle eut l'air de nager entre deux méduses.

— Muchacho! criait-elle. À toi! À toi!

D'une brasse vigoureuse, elle fondait sur un baigneur, lui appliquait une tape vigoureuse sur la tête, lui faisant boire un bon coup, ou bien elle plongeait et en nage sous-marine venait le tirer par les pieds. Puis elle émergeait dix mètres plus loin, soufflant de l'eau comme un cachalot, riant comme un phoque.

Au contraire, Olga se contentait de faire la planche, mais les gaillards préféraient nager dans ses parages que de subir les taquineries de la générale. Son corps faisait un relief charmant à la surface de l'eau. Cette fille stupide était belle comme une statue et si elle cessait d'être désirable l'instant d'après qu'on en avait joui tant sa froideur était rebutante, chacun à la voir nue n'en désirait pas moins tenter sa chance d'animer ce marbre.

Le bain d'ailleurs ne dura pas longtemps, car cette eau si pure, si transparente qu'on voyait à quinze mètres sur le fond de sable passer l'ombre des poissons, était infestée de ces minuscules insectes noirs qu'on appelle dans le pays « aguas malas » et qui piquent fort désagréablement. Sous ce climat, dans ce décor de paradis terrestre où tout semble préparé pour faire la vie douce à l'homme, les apparences sont trompeuses et tout s'y révèle en réalité hostile. Le soleil assomme avec ses rayons massues ; l'ombre des mancenilliers est mortelle ; la mer appétissante et miroitante réserve à l'imprudent baigneur, au large ses requins, sur la côte ses *aguas malas*; si l'on avance dans la brousse, tarentules et serpents aux morsures meurtrières vous guettent; les baies si fraîches, si éclatantes qui tentent votre soif sont empoisonnées et les euphorbes rendent fous. Quant aux hommes, n'en parlons pas; ils sont comme partout, pires que la Nature. La voilà bien la terre promise de l'Aventure.

Au bout de quelques minutes d'ébats aquatiques, sans nous être consultés, nous nous retrouvions tous sur la grève, à l'ombre des palmiers, contemplant nos jambes brûlantes, piquetées de points rouges. À mes côtés, M. Kock essorait sa barbe et Jérôme imprimait dans le sable la trace de son squelette visible sous la peau.

— Alors, vieux camarades, fis-je, nous voilà loin de Hambourg.

— On est rudement mieux ici, dit Jérôme s'étirant à faire craquer ses os.

M. Kock grogna:

— C'est pas qu'on soit mieux, mais ça change les idées. Pour les hommes forts comme nous, ça ne vaut rien de rester trop longtemps en place; quand la bougeotte vous reprend, homph! on se retrouve au bout du monde sans savoir comment c'est arrivé. Si j'avais un fils je lui conseillerais...

— Mais tu as deux filles, m'as-tu dit, monsieur Kock, et au lieu de leur donner des conseils, tu t'en vas jouer au pirate dans la mer Caraïbe.

Le gros homme soupira :

— Deux pisseuses bien mignonnes, tu sais, deux lardons roses à croquer. Mais que veux-tu, s'il fallait s'attendrir, on ne pourrait plus profiter des occasions, on serait ligoté chez soi par mille liens tendres, accroché comme une huître à son rocher. Bougre ! rien que d'y penser à cette vie de fonctionnaire que je menais depuis la guerre, j'ai des fourmis dans les fesses. Le plus drôle dans l'affaire, c'est le nez qu'a dû faire ma femme en ne me voyant pas rentrer. Elle a vingt ans de moins que moi, la mâtine, et elle croyait avoir épousé un vieil homme casanier, pantouflard et tout – qu'on dorlote et qu'on mène par le bout du nez. Patatras ! le vieux a des jambes de jeune drôle. Coupée la laisse ! Le barbon a encore plein son sac de folle avoine à semer aux quatre vents du monde ! Ah ! Ah !

Il rit longuement dans sa barbe qui, en séchant, frisait comme astrakan. Puis il soupira derechef :

— Enfin, quand cette aventure sera finie, on verra à rentrer au pays, à réparer la casse, à reprendre le collier.

— Oui, mais comment ça va-t-il finir ? dis-je. C'est très joli l'honnête loufoquerie du général. Mais nous voilà engagés à fond dans une sale histoire et pour sortir maintenant sans laisser de plumes ce sera peut-être difficile. À moins d'aviser immédiatement…

— Bah ! fit Jérôme. C'est bien plus amusant comme ça. Plus y a de grabuge, plus c'est gai. C'est pas en

Europe qu'on pourrait voir des trucs comme ça, des révolutions à la godille, des complots à la mords-moi-le-nez. Et toute cette rigolade, cette chienlit, ce carnaval, c'est pourtant pas du bidon, c'est sérieux, c'est combiné. Y en a déjà trois du *Libertador* qui jouent à pousse méduse avec les langoustes – et la mort de ce petit salaud de Martin ça m'a fait quelque chose – eh! bien y en aura d'autres pour sûr. C'est régulier, ça me plaît, c'est du franc-jeu. Surtout qu'il est honnête, le vieux, il paye bien et il promet encore davantage pour le cas où il réussirait son coup. Alors, si tu veux mon avis, la chance est bonne à tenter. J'ai l'air de roupiller depuis une semaine, je ne gueule plus, je ne bouge plus, mais je réfléchis. Je me suis dit : « Rien de plus facile que de se tirer avant la chauffe ? Ça fait toujours une bonne ballade aux frais du général. Salut la compagnie. En une heure de nage je suis à la côte. Là je me débrouille. Ce que je cherchais à Hambourg, c'est bien le diable si je ne le trouve pas à Caracas ». Eh! bien, j'estime que ça ne serait pas régulier et que ça ne serait pas malin. Parce que le général, il peut gagner. Dans ces pays – ce que je vous en cause, je l'ai lu cinquante fois sur les journaux – c'est toujours les révolutions qui triomphent. Alors pour une fois qu'un coup d'État pourrait rapporter quelque chose à un Breton, je me suis dit : « Jérôme mon ami, tu vas servir la cause du général si absurde que tout cela te paraisse, et si ça tourne bien, t'auras ton beurre fait pour des années ».

Jérôme qui n'avait pas l'habitude de parler si long-temps et s'embrouillait facilement dans ses idées, cracha loin, un bon coup, jusque dans la vague. S'il était obligé de prononcer plus d'une phrase de suite, habituellement la colère lui montait au cerveau et la conversation se terminait fort mal pour son interlocuteur. Cette fois il avait réussi à tenir un discours de plusieurs minutes.

Aussi sa colère risquait-elle d'être particulièrement meurtrière. À ma grande surprise, il n'en fut rien. Il se contenta de cracher encore violemment à plusieurs reprises et de bougonner sa conclusion :

— Et puis, merde ! Celui qui cane maintenant, je dis que c'est pas un homme.

Je ne voulus pas prendre l'allusion pour moi et, prudemment, je gardai le silence. Mais M. Kock revint à la charge.

— Alors, tu y crois, toi, aux récompenses du général, aux fruits d'or, aux belles filles, aux émeraudes, aux uniformes, aux grades, aux palais qu'on doit nous donner après la victoire ?

— Peuh ! fit Jérôme. Je m'en balance. C'est pas ça qui m'intéresse.

— Pourquoi que tu risques ta peau, alors, et ta tranquillité, et que tu t'en vas d'enthousiasme courir la mer sur le bateau d'un loufoque ?

— Et toi, vieille noix ?

— Moi ? fit M. Kock suffoqué. C'est pas pareil. Je croyais pas aller si loin, je voulais seulement changer de place. Et puis ça me ferait plaisir de rentrer au pays, riche d'argent et de souvenirs, histoire de rincer les copains et de leur en mettre plein la vue.

— Ah ! tu me fais mal au ventre avec tes balançoires, cria Jérôme excédé. Et quand tu t'es engagé dans la Légion, c'était pour t'enrichir ?

M. Kock, que la colère empoignait à son tour, sauta sur ses jambes.

— Parle pas de la Légion ! C'est pas la même chose. C'est un coup de tête de jeune, mais ça honore.

Jérôme à son tour s'était dressé.

— Moi, je te dis que c'est la même chose. Légion, *Libertador* et tout le tremblement, pas de différence. On se jette là-dedans pour échapper au guignon ou au cafard qui vous poursuivent, pour se prouver à soi-même qu'on est un homme capable de bouger, de risquer, de vivre quand même. Toutes les autres raisons qu'on se donne, c'est des mômeries pour porteurs de barbe.

— Y a des blancs becs qui s'agitent, qui s'excitent, qui meurent à tort et à travers, mais ils ne savent jamais ce qu'ils veulent faire dans la vie ni pourquoi ils le font. J'appelle ça des aventuriers pour demoiselles de salon.

Les deux hommes se parlaient dans le nez. Leurs poings se serraient et la bagarre allait éclater.

— Eh ! bien je vais te le dire, moi, fit Jérôme avec un calme de mauvais présage, je vais te le dire ce que je veux faire de ma vie : en toutes circonstances et partout, mon seul but, mon seul plaisir, c'est de prouver que je suis le plus fort, tu m'entends ? Et maintenant…

À ce moment, à l'autre bout de la plage, des cris perçants retentirent. Goratchkoff sortait du bois de palmes, agitant ses petits bras, sautant comme un jouet mécanique, prenant le ciel à témoin en termes véhéments et d'une voix suraiguë.

Nous nous précipitâmes.

— Là, là, criait le Russe en désignant une touffe de bambous. L'honneur de mes ancêtres est souillé. Ces rustres ont abusé de l'innocence. Au secours ! qu'ils soient châtiés !

La cause de cette indignation fut facile à découvrir. Une quinzaine de figurants avaient entraîné Olga à l'écart et consciencieusement, chacun à son tour, l'avait violée sans d'ailleurs que cette fille stupide eût élevé la moindre protestation, ni d'ailleurs éprouvé la moindre satisfaction. Couchée sur le dos, indifférente comme une éponge, elle avait subi les assauts répétés des quinze gaillards qui s'étaient dédommagés sur elle de leur longue continence. Goratchkoff, en cherchant une retraite pudique pour rajuster son cache-sexe rétréci par le bain, était tombé au milieu de cette scène lubrique et avait failli s'évanouir de saisissement.

Étonnée d'un tel scandale, Olga s'était relevée et un peu flageolante sur ses jambes, tentait d'apaiser son oncle.

— C'est pour le cinéma, répétait-elle, ils m'ont dit qu'il fallait faire la chose qu'on appelle l'amour pour que le film soit réussi. Je suis bien fatiguée, mais ils ne m'ont pas fait mal. Ces messieurs sont très gentils, il ne faut pas les gronder.

Goratchkoff s'arrachait les cheveux, trépignait.

— Petite malheureuse, la honte est sur toi. Nous sommes déshonorés. Que dirait ta défunte mère, la princesse, si elle te voyait ? Et comment réparer par le mariage ? Impossible, ils sont quinze ! Sacripants, voyous, vous mériteriez que je vous corrigeasse.

— Pleure pas comme ça, dit Jérôme. Ta pucelle, je l'ai déjà violée à Hambourg dans ton hôtel. T'en fais pas, elle a l'habitude.

Cette révélation porta le coup de grâce au malheureux père qui s'effondra en larmes.

Nous n'eûmes pas tout le loisir voulu pour compatir au chagrin de Goratchkoff et apaiser son indignation, car deux petites chaloupes à moteur venaient d'entrer dans la crique et se rangeaient le long du *Libertador*. Au sommet de l'échelle de coupée, le général nous rappelait à bord avec de grands signes. Enfin les chefs du complot étaient là. Nous allions savoir à quoi nous en tenir.

En quelques brasses, tout le monde eût regagné le bateau et, à peine séché, l'État-major fut convoqué au conseil de guerre qui se tenait dans le carré.

En apercevant le général, les conspirateurs – ils étaient une dizaine environ dans chaque barque – se dressèrent d'un seul bond au risque de faire chavirer les embarcations et poussèrent un hourrah! formidable qui me parut en la circonstance manquer de prudence. Des espions du gouvernement auraient pu les entendre de l'autre côté du détroit.

C'était de petits hommes bruns, au geste vif, à moustache de chat, vêtus d'alpaga, chaussés de toile blanche et coiffés de canotiers. D'un seul mouvement ils se découvrirent, brandirent leurs chapeaux et en signe d'enthousiasme les lancèrent vigoureusement en l'air. Ils retombèrent dans la mer après avoir décrit un vol gracieux, et flottèrent autour du bateau comme une floraison inattendue de nénuphars. Ce curieux exercice – traditionnel paraît-il dans le pays et qui fait la fortune des marchands de chapeaux – une fois accompli, les conspirateurs montèrent à l'assaut de l'échelle de coupée. Chaque nouvel arrivant se précipitait sur le général, l'étreignait en lui administrant de formidables claques sur les omoplates, au milieu d'un jacassement bruyant comme une altercation où revenait sans cesse l'exclamation *Hombre! Hombre!*

Gonzalès, très digne, droit comme un piquet de deuil, dominant de la tête la foule de ses admirateurs, subissait sans broncher ces embrassades.

Quand tout le monde fut monté à bord il s'écria :

— *Caballeros !* Je vous avais fait le serment de revenir et de vous délivrer de la tyrannie. La première moitié de mon serment est remplie ; allons examiner la meilleure manière de tenir la seconde. Suivez-moi.

Il emmena tout le monde dans le salon des cartes.

La générale ayant passé rapidement un peignoir à ramages, escortée de Jérôme, Kock, Schutz, Peter Borel et moi-même, fit au milieu de l'assemblée une entrée à sensation. L'enthousiasme rebondit, les embrassa-des recommencèrent mais cette fois avec une nuance de galanterie respectueuse du plus heureux effet « *A sus ordenes… Servidor que besa sus piès* » susurraient les caballeros.

Le général mit fin à ce murmure de volière en comman-dant de sa voix grave : Et maintenant au travail !

— Messieurs, dit-il, tandis que notre malheureuse patrie gémissait dans les fers, j'ai travaillé pour sa libé-ration. Me voici revenu sur un puissant navire armé de canons. Je vous présente notre capitaine, le señor PetitGuillaume, dont nous ferons notre grand amiral après la Victoire, – (un murmure approbateur courut dans l'assemblée) – à la tête d'une forte troupe bien entraînée, bien équipée, brave, dévouée à notre cause, et magnifiquement commandée – je vous présente le colonel Jérôme Le Guellec et ses adjoints les señores Kock et Schutz. Ces caballeros ont été à bonne école : ils ont appris le dur métier de la guerre dans la fameuse Légion Étrangère ; avec de tels cadres nos soldats sont invincibles. J'ai apporté également pour armer nos valeureux compatriotes dans la sainte insurrection 15 000 fusils, 15 mitrailleuses et 50 000 cartouches. Quant à l'or il ne nous fera pas défaut non plus ; ma fortune est à la disposition de la cause.

Une acclamation tonnante fit trembler les hublots.

— Moi, s'écria Pilar, je vous ai apporté le signe par lequel nous vaincrons, l'étendard brodé de mes mains qui ne sera pas longtemps à la peine car nous le condui- rons aussitôt à l'honneur !

Elle tira de sous son peignoir le signal blanc et jaune enfin retrouvé et le déploya dans un geste large qui la découvrit de ses voiles et fit saillir son opulente et velue nudité.

Tous les conspirateurs tombèrent à genoux et embras- sant le drapeau jurèrent de mourir pour lui. Les plus ardents en profitaient pour frôler les cuisses découvertes de Pilar. Mais elle les repoussa en ruant. « Hombres ! Hombres ! Touchez le drapeau mais pas la hampe ! » s'écria-t-elle avec une franchise de soldat.

Quand l'émotion se fut un peu apaisée, le général reprit la parole.

— Maintenant, messieurs, à vous de me dire ce que vous avez fait pour la cause. Où en sont les préparatifs de l'insurrection, señor Camburrastro ?

Le señor Camburrastro fit un pas en avant, mit la main sur son cœur et s'inclina :

— Señor Presidente (c'est ainsi que les conspirateurs appelaient déjà le général) j'ai suivi fidèlement vos instructions. Venues d'Europe par câbles chiffrés elles ont été un précieux réconfort pour tous ceux de vos malheureux compatriotes qui, gémissant sous le joug de la plus sanguinaire des dictatures, savaient du moins que vous prépariez leur délivrance. L'espoir n'a pas abandonné le camp des partisans du Venezuela libre et nous avons travaillé dans le mystère et la fièvre pour que le jour venu vous n'ayez plus qu'à cueillir les lauriers mûris au soleil de notre ardent dévouement.

— *Muy bien ! Muy bien !* firent quelques voix.

— Ce jour est venu, reprit Camburrastro. Nous avons semé sur vos ordres, señor Presidente, il ne vous reste plus qu'à récolter. Le pays vous attend comme un messie. L'indignation est à son comble. La colère gronde. Paraissez et vous aurez vaincu.

« Cependant je dois vous dire que le gouvernement semble avoir été prévenu de votre débarquement. Les autorités de Cumana n'ont pas été sans remarquer l'arrivée du *Libertador* et des mesures ont été prises. Les vingt-cinq gendarmes de la province, sous la conduite de leurs seize officiers, au grand complet, occupent les positions stratégiques qui défendent le port et la ville. Il faudra donc livrer bataille. Toutefois nous avons réussi à nous faire des intelligences parmi l'ennemi et j'ai le plaisir de vous annoncer que deux caporaux sont pour nous. Au moment décisif ils feront passer leurs troupes dans notre camp.

« Mais il faut agir vite. Vous n'ignorez pas que notre belle ville possède une *officina de correos* et peut ainsi correspondre avec la capitale. Je tiens d'un employé du télégraphe que des messages sont déjà partis pour Caracas réclamant l'envoi d'un croiseur et d'un régiment de secours. Il faut donc que nous soyons maîtres de la province avant leur arrivée. En nous trouvant dans la place, pas de doute que marins et soldats ne fassent cause commune avec nous ; ils se joindront à notre mouvement et notre victoire s'étendra comme une traînée de poudre.

— Quel plan d'attaque proposez-vous, demanda le général ?

— Votre renommée militaire éclipse la mienne, señor Presidente, c'est à vous de décider.

— Bien, fit Gonzalès. Voici donc mes ordres. Vous rentrez ce soir à Cumana, vos chaloupes chargées de fusils, et vous alertez nos amis les plus sûrs. Profitant de la nuit le *Libertador* traverse le détroit tous feux éteints et vient s'embosser à une encablure de la plage, à l'ouest de l'entrée de la rade. À l'aube, je débarque avec mes troupes et je marche sur la ville. Une salve d'artillerie tirée à ce moment par le *Libertador* vous annoncera que le moment est venu de descendre dans les rues. Vous ameutez la population, vous vous emparez des édifices publics. Cependant j'arrive et je réduis les derniers nids de résistance. Une fois maître de Cumana, nous aviserons pour la suite des opérations.

— Bravo! Géniale manœuvre! cria l'assemblée.

— Mais, objecta timidement Peter Borel, comment ferons-nous à bord pour tirer la salve? Il n'y a pas de munitions pour l'artillerie.

Le général se fâcha:

— Pas de munitions, monsieur que dites-vous? Il y en a plein la sainte-barbe. D'ailleurs cette question ne vous regarde pas. Laissez travailler vos supérieurs hiérarchiques.

— Je ferai aussi hurler la sirène, dis-je conciliant. Ça s'entendra encore mieux qu'une salve.

La nuit tombait aussi vite que sur un théâtre. Pour nous, habitués aux crépuscules interminables d'Europe, cette chute brutale du soleil surprend. L'obscurité s'abat sur le décor à l'improviste, aucune transition n'est ménagée.

L'instant d'avant le soleil tapait dans les hublots du carré; ses ors, ses rutilements semblaient prisonniers des glaces, des cuivres. Maintenant, sur le pont, plus un reflet ; la mer était déjà noire et les palmiers éventaient légèrement la dernière clarté, cependant que les étoiles inscrivaient déjà dans l'azur l'itinéraire mystérieux, avec leur pointillé de frontières compliqué, de milliards de destinées humaines.

Les conspirateurs regagnèrent leurs chaloupes. On leur descendit à câbles quelques caisses de fusils, et après de nouveaux hurrahs ! en l'honneur du général, leurs embarcations s'éloignèrent. Comme ils n'avaient plus de chapeaux à jeter dans la mer, ce fut au tour des mouchoirs de voler. L'escadre légère, portée un instant par la brise, tomba bientôt dans l'eau comme une posée de mouettes et sembla dans la nuit un morceau de la voie lactée qui s'immergeait lentement.

La traversée du détroit s'opéra sans encombre en moins d'une heure, et je vins mouiller, tous feux éteints, à quelques encablures de la grève. De notre bord nous entendions le léger murmure de la vague qui s'étale sur le sable, ce léchis mouillé et voluptueux de la mer qui rencontre la pente douce d'une plage. La nuit était assez claire bien que sans lune. Je m'étais embossé de manière à présenter ma bordée de tribord à la côte, la proue tournée vers l'entrée de la rade dont deux feux fixes marquaient l'emplacement à moins d'un mille. Les lumières de Cumana clignotaient faiblement. La ville semblait dormir paisiblement.

À bord du *Libertador* c'était grand branle-bas de combat. Les figurants rendossaient leurs uniformes hétéroclites et dans l'obscurité c'était un tour de force de retrouver l'ajustement de ces équipements d'un autre âge. Le voltigeur enfilait la jaquette du grenadier, le spahi prenait la culotte du schupo... Ces méprises qui augmentaient encore l'aspect pittoresque de l'armée n'allèrent pas pourtant sans jurements ni bagarres.

Enfin, quand tout le monde fut tant bien que mal habillé, on ouvrit la sainte-barbe et l'on procéda à la distribution des armes : un fusil et cinquante cartouches par homme. Mais l'un recevait un fusil de chasse et des chargeurs de guerre, l'autre un vieux Lebel et des chevrotines. Heureusement pas un seul ne se doutait qu'il allait à une vraie bataille où l'usage de son arme à feu pourrait lui être nécessaire. Aussi riaient-ils de ces hasards de la distribution.

Peter Borel se promenait à côté de moi sur le pont, roulant plutôt qu'il ne marchait sur ses courtes jambes arquées. Il paraissait soucieux.

— À quoi penses-tu, vieux camarade, lui demandai-je ?

Il soupira.

— Pour être franc, me répondit-il après un court silence, je commence à regretter de m'être embarqué dans cette aventure. J'avais une bonne place sur *la Ville de Copenhague,* j'aurais mieux fait de la garder. J'aime la mer, ses coups durs, ses vacheries, et aussi les bonnes escales où on s'en met par-dessus la casquette de franche rigolade.

Mais des histoires comme celle du *Libertador,* ça ne peut que mal finir. Et puis le général manque de considération pour moi. Il n'a jamais raté une occasion pendant toute la traversée de me remballer. Aujourd'hui, maintenant que ça va barder un peu, que je pourrais

lui prouver que je suis moins gourde qu'il croit, sais-
tu quel rôle il me confie? Opérateur de cinéma! Le
moinillon de la générale et moi nous montons dans
le premier canot avec les caméras, et pour donner du
courage aux gars, nous faisons semblant de les filmer
pendant l'assaut. D'abord c'est humiliant pour moi,
et ensuite je n'aime pas beaucoup cette malhonnête
mise en scène, cette dégoûtante escroquerie morale qui
consiste à pousser à l'abattoir cinquante bonshommes
en leur faisant croire qu'ils jouent leur vie pour rire.
Je sais bien qu'il est difficile de les prévenir d'avance
et que, quand ils seront dans la vraie bataille, ils sont
gars à se défendre sérieusement. Mais tout de même
je trouve que tout ça c'est du vilain travail et je me
demande si je ne vais pas manger le morceau tout de
suite et tout raconter aux figurants.

— Il est un peu tard maintenant, fis-je. Le seul résultat que tu obtiendrais serait de faire échouer à coup sûr
l'entreprise de Gonzalès sans que pour cela nous soyons
tirés de ce mauvais pas. L'entreprise est folle, soit! mais
elle a une chance de réussir. Il ne nous reste plus que
cette chance maintenant à jouer.

— Je l'aurais risqué encore volontiers comme com-
battant, répliqua Peter, mais comme caméraman, je la
trouve saumâtre.

— Grandeur et misère de l'aventure, murmurai-je.

— Tu parles d'une aventure pour ces pauvres bougres

qui, équipés en carnaval, vont tomber sans s'en douter sur les mitrailleuses des troupes régulières! C'est agir salaudement avec eux.

— Bah! Tout se passera peut-être le mieux du monde. Dans ces pays les révolutions d'habitude se font avec beaucoup de bruit mais peu de sang versé. Le général le sait bien. Aussi ne s'est-il préoccupé que du trompe l'œil. La réalité sera peut-être ridicule, sûrement pas tragique.

Je disais ça pour rassurer Borel, mais mon avis c'était que nous allions bel et bien tomber dans un traquenard et que tout cela finirait très mal.

La nuit déjà fraîchissait. Un coup de brise balaya la surface de la mer. Les palmiers de la côte se détaillèrent. D'un seul coup il fit jour et une boule de feu sauta de l'horizon derrière Cumana.

Les figurants, maladroits dans leur lourd équipement, sautèrent sur leurs armes et se rangèrent tant bien que mal.

— Soldats! dit Gonzalès, nous allons avoir l'honneur d'attaquer. Cette journée restera dans les fastes de l'Histoire. À vous d'écrire vos noms au livre de gloire à la pointe de vos baïonnettes!

Le général s'attendait à des acclamations — mais les figurants, abrutis par une nuit d'insomnie, restaient mornes sous leurs défroques grotesques. Seul un discret bravo se fit entendre là-haut sur la dunette. Nous levâmes tous la tête et vîmes Goratchkoff qui applaudissait avec distinction.

— Rentrez! Monsieur, rentrez! tonna le général. Cachez-vous si vous tenez à votre vie. L'heure de la bataille a sonné.

— Ah! mon Dieu, fit le petit homme. Et il s'enfuit en courant se cacher dans sa cabine.

— Voici l'ordre de départ des canots, reprit le général. Premier canot: Peter Borel, Dom Paez et cinq hommes avec les appareils de prise de vues pour filmer l'attaque. Deuxième canot: moi-même avec dix hommes. Troisième canot: le colonel Jérôme Le Guellec avec dix hommes.

« M. Kock et Schutz avec le reste de la troupe prendront deux canots de bâbord et se porteront à ma droite.

« Distance entre les canots quinze mètres. Nous nous porterons de front vers le rivage et à mon commandement vous sauterez à terre. Si l'ennemi se présente, nous le chargeons aussitôt. Sinon, nous nous formerons en colonne pour marcher sur la ville.

« Le capitaine PetitGuillaume fera sur le *Libertador* les signaux convenus et aussitôt le débarquement terminé, il lèvera l'ancre et entrera dans le port de Cumana.

« Compris?

« Exécution!

« Pour le Venezuela, pour la liberté, hip, hip, hip… »

Et comme personne ne faisait écho, le général presque tristement, son exaltation soudain tombée, se répondit à lui-même : Hurrah !

Tandis que les figurants s'entassaient dans les canots, je pris mes jumelles et scrutai la plage. Pas une âme sur la bande de sable. Mais la forêt qui commençait dix mètres plus loin pouvait cacher bien des surprises. J'en étais là de mon examen quand on me frappa sur l'épaule. Je me retournai. C'était Schutz. Il avait l'air embarrassé.

— Eh ! bien ? lui dis-je.

Il hésita encore un instant puis prenant son élan, il me débita d'un trait ce qu'il avait à me dire.

— Capitaine PetitGuillaume fit-il, je ne vous connais pas depuis longtemps, mais vous êtes le plus sérieux de nous tous, un vrai ami, je crois…

Il me vouvoyait et pour la première fois j'en faisais la remarque, car ce grand rouquin timide n'ouvrait jamais la bouche et s'il avait parfois jeté quelques mots dans une conversation, jamais encore il ne s'était adressé à moi d'une façon directe. Je l'observais curieusement tandis qu'il me parlait. C'était encore un enfant, dégingandé, gauche, d'une force maladroite qui le faisait disproportionné, disgracieux ; il avait des cheveux rouges, rebelles, plantés tout droits sur le crâne, et qui lui attiraient naturellement la raillerie, une tête petite, un front têtu, si étroit que quand il le plissait toute marge disparaissait entre la racine de ses cheveux et ses sourcils, un visage frais semé de taches de rousseur, et des yeux de gosse, bleus, à la fois méfiants et noyés de tendresse.

— Vas-y, mon petit gars, je t'écoute, lui dis-je pour l'encourager.

— Voilà, capitaine, je me dépêche parce qu'on m'attend au deuxième canot tribordais. Je voulais vous demander seulement de prendre cette lettre. Elle est pour ma mère, à Hambourg, que je faisais vivre sur mon salaire de docker. La pauvre vieille doit se demander ce que je suis devenu. Si l'affaire tout à l'heure tourne mal, enfin je veux dire y aura peut-être de la casse, si je ne rentre pas à bord, vous remettrez ma lettre à l'occasion, lors d'un passage à Hambourg. L'adresse est sur l'enveloppe. Ne l'envoyez pas par la poste, donnez-la vous-même. Vous pourrez lui expliquer, à ma vieille, si elle vous pose des questions.

— Donne ta lettre, grand nigaud, fis-je d'un ton bourru. Tu n'as pas compris encore que ce débarquement c'est une plaisanterie. Mais voilà, le gars aux cheveux rouges a des nerfs de demoiselle, ses petits pressentiments macabres. Alors qu'est-ce que tu es venu foutre sur le *Libertador* ? Est-ce qu'on t'a obligé à t'embarquer ? Réponds, petit imbécile, tu n'étais pas mieux à décharger des bateaux sur les quais de l'Elbe plutôt que d'aller courir le monde derrière un dangereux illuminé ? Naturellement, comme tous les autres ballots, tu vas répondre : je n'ai pas pu résister à l'appel de l'aventure. Eh bien ! va te faire foutre maintenant, va te faire crever la peau pour la cause du général, mais ne te plains pas à ta maman. En voilà une bande de jolis aventuriers ! L'un regrette son rond-de-cuir et ses deux fifilles, un autre fait ses derniers adieux à sa mémère. Du sentiment, tout ça, des niaiseries. Allez, ouste, file. Je la remettrai ta lettre. En attendant, quand on a fait une boulette, faut la manger.

— Adieu, capitaine, me cria Schutz presque joyeusement. Et je le vis descendre l'échelle quatre à quatre et sauter dans son canot.

À cet endroit de son récit, le capitaine PetitGuillaume fit une pause.

— Voyez-vous, reprit-il, ça me crevait le cœur de voir des hommes, des jeunes et des plus vieux – il n'y a pas d'âge pour ces coups de folie – venir se perdre à des milliers de kilomètres de chez eux, pour rien, par la fantaisie d'un vieux schnock dont les discours insensés avaient allumé en eux cette flamme qu'on ne peut plus éteindre, qui vous brûle ensuite jusqu'à la moelle, le goût de l'aventure : vivre autrement, vivre ailleurs, vivre dangereusement. Un rien, un hasard suffit parfois à allumer cet incendie dans les âmes qu'aucune raison ne peut plus éteindre, qu'aucune affection, qu'aucun lien de famille, qu'aucune contrainte sociale ne peut circonscrire. Et les victimes ne sont pas prédestinées. Mais non. N'importe qui peut y passer. Vous me direz que mes compagnons étaient déjà des aventuriers et que s'ils n'avaient été dispos pour l'aventure, s'ils ne l'avaient pas cherchée eux-mêmes inconsciemment, ils ne seraient pas partis sur le *Libertador*. Allons donc! Il se trouve qu'ils étaient tels. Mais il suffit de regarder autour de soi pour voir combien d'hommes mieux défendus que ceux-là ont gâché leur vie pour la même raison. Ils sont légion. Croyez-moi, c'est un mal terrible, qui fait des ravages qu'on ne soupçonne pas, et contre lequel hélas! la société ne prend aucune mesure de prophylaxie. Vous-même, malheureux jeune homme, je vous connais assez maintenant pour savoir que l'Aventure vous tient, qu'elle ne vous lâchera qu'exténué ou déshonoré, quand vous serez une épave. Et pourtant vous n'étiez pas fait pour elle.

— Achevez plutôt votre histoire, capitaine, dis-je. Nous parlerons de moi ensuite.

— Soit! Mais d'abord je vais vous donner la lettre de Schutz. Je n'ai pas pu la porter moi-même à sa destinataire. Si dans vos courses vous passez par Hambourg, vous irez la remettre vous-même. La voici.

Il me tendit une enveloppe sur laquelle je lus, tra-
cée d'une main malhabile en écriture gothique cette
adresse : Frau Schutz 22 Kœnigstrasse A-2 Hambourg
Deutsch Reich.

— C'est bien. Je ferai votre commission, dis-je.

Le premier canot, celui du cinéma, reprit le capitaine, s'était déjà éloigné du navire. Peter Borel avait planté sa caméra à l'arrière. Dom Paez pour l'occasion avait quitté son froc et revêtu un costume de golf du plus galant effet. Les deux opérateurs s'affairaient autour de leur appareil, tandis que quatre figurants déguisés, l'un en grenadier anglais, l'autre en page Henri III, un autre en bersaglier, le dernier en douanier hollandais, ramaient maladroitement. Sur la mer plate, immobile, les rayons du soleil levant ricochaient à l'infini. Le long de la grève, aux premiers arbres, des espèces de geais – des aras peut-être – se levèrent en criant à gosier rouillé, éruption de taches vives sur la sombre verdure des palmes. Je ne vous décrirai pas, puisque vous les connaissez comme moi, ces matins de Tropiques sur la mer, d'une pureté si lavée que le moindre geste, la moindre parole des hommes la souille : c'est un décor, une atmosphère du cinquième jour de la création ; le moindre poisson volant, le moindre insecte égaré, l'azur plus tendre qu'une nourriture d'ange, rappellent la main du créateur encore à peine ouverte sur toutes ces merveilles, l'invisible et inquiétante présence d'un Dieu encore penché sur son œuvre.

Il semble que l'univers s'éveille, chaque matin, rajeuni de milliers de siècles. Mais l'homme, cet animal nuisible, dès qu'il manifeste sa présence, ruine ce miracle de jouvence. À mesure que les chaloupes, chargées de leur chienlit, quittaient le *Libertador,* envahissaient la mer, le charme indéfinissable du matin se brisait en mille éclats, ne laissant subsister que des taches pittoresques, un décor où l'œil seul désormais pouvait s'intéresser à cueillir des détails, à observer les péripéties d'un petit drame ridicule.

En assez bon ordre, les quatre canots nageaient en ligne vers la plage. Celui de Peter les précédait : la caméra, dans cet assaut burlesque, remplaçait le clairon : c'était une entraîneuse, l'œil de la gloire pour héros hésitants. Je suivais à la lorgnette la marche de la petite escadre. J'apercevais Jérôme, dans son costume de marin américain mais coiffé de la casquette plate, nonchalant, debout à l'arrière de son embarcation et qui barrait avec un pied ; le général dans sa sobre tenue réglementaire faisait tâche au milieu des uniformes bariolés de sa troupe. Il se tenait droit, à l'avant du canot, le sabre à la main, figé dans l'attitude héroïque d'une figure de proue. Schutz s'éventait avec sa coiffure et ses cheveux rouges le désignaient mieux que tous

les galons comme le chef du bord. Quant à M. Kock, placidement assis sur le bord de la barque, il laissait traîner un de ses pieds dans l'eau.

Le canot de Peter Borel aborda le premier. Dès qu'il eut touché le sable, le gros homme sauta dans l'eau, sa caméra sur l'épaule, mais il avait les jambes si arquées que la vague, bien qu'il fût à moins de deux mètres de la terre sèche, lui mouillait le fond. Il planta solidement dans le sol les pieds de son appareil, choisit son angle de prise de vue, et attendit l'atterrissage des autres canots. Dom Paez, assistant zélé, à genoux devant la boîte à pellicules, préparait de nouvelles bandes. L'illusion était parfaite. Selon les instructions reçues, quand les quatre canots eurent touché terre et se furent immobilisés, la proue fichée dans le sable, le moinillon brandissant un porte-voix cria à pleins poumons de sa plus belle voix de prêche : « Attention, on tourne ! »

La toux rageuse d'une arme automatique répondit à ce commandement. À la lisière du bois, une mitrailleuse invisible dégrenait son chapelet meurtrier : les dizaines se succédaient par rafales saccadées, coupées de brefs silences ; les balles s'éteignaient dans la mer, égratignaient l'eau, la crevaient d'un ploc sonore ou au contraire déchiraient la soie liquide sur des mètres, dans un sillage de hors-bord miniature.

À la première décharge, je vis Peter Borel tourner sur lui-même, s'accrocher à sa caméra et comme une grosse toupie en perte de vitesse s'écrouler sur le côté. Le général, le sabre haut, avait sauté sur la grève. « En avant ! » hurlait-il. Les figurants crurent d'abord que la mitrailleuse était dans le scénario ; ceux qui s'apprêtaient à débarquer suivirent le général dans son premier élan. Mais la seconde rafale plus précise que la première qui n'avait atteint que Peter Borel abattit quatre ou cinq hommes du canot de M. Kock. Celui-ci, ayant de l'eau jusqu'au nombril, tirait à pleins bras la barque par l'arrière pour essayer de désensabler la proue.

— Déramez ! Déramez donc, nom de Dieu ! criait-il aux quatre malheureux figurants qui dans leur affolement ramaient au contraire de plus belle, si bien que le bateau s'enfonçait de plus en plus dans la terre.

Une autre décharge heureusement coucha sur leurs avirons ces maladroits et M. Kock en profita, d'un coup de rein, pour renflouer la barque, sauter dedans et nager vigoureusement vers le large.

Cependant une autre arme automatique s'était démasquée à l'autre extrémité du front. Tous les événements de cette bataille se déroulèrent presque simultanément, mais je ne peux vous les retracer que successivement. Pendant que M. Kock faisait des efforts pour se dégager, une panique furieuse s'était emparée des figurants.

Une partie d'entre eux, ceux qui se trouvaient déjà sur la plage, ne sachant où fuir, coururent derrière le général vers la lisière du bois. Je les vis tomber, vrais capucins de cartes, car leurs uniformes romantiques les faisaient ressembler à des rois de cœur ou à des valets de trèfles. Le général, seul épargné, continuait à avancer, le sabre haut, hurlant ses « en avant ! » dont la brise portait les échos jusqu'au *Libertador*. Chaque fois qu'il se retournait pour voir s'il était suivi de ses troupes, j'apercevais sa visière dorée qui étincelait au soleil ; il était désigné comme le héros de la fête par cette tache de lumière au front.

À mes côtés, sur la dunette, la générale me broyait le bras d'une main, tandis que de l'autre elle tenait sa lorgnette. À la première décharge, elle avait juré comme un tambour.

— *Madre de Dios !* Ils m'ont tué mon moinillon, les porcs !

Puis, avec un soupir d'une naïveté charmante :

— Plus de cinéma ! La guerre est perdue, ils n'oseront plus se battre maintenant que la caméra ne les regarde plus. Ah ! capitaine, il aurait fallu emporter les deux appareils de prise de vue !

— Regardez Gonzalès, disait-elle. C'est un héros. À lui seul, il va gagner la bataille. Il marche sur l'ennemi, il avance… Mais où est donc l'ennemi, capitaine, on ne le voit pas ?

— On l'entend, madame, c'est suffisant et on reçoit ses balles, tandis que nos hommes ne peuvent même pas se servir de leurs fusils pour se défendre.

— À l'arme blanche, bon Dieu! Pourquoi ne chargent-ils pas? Regardez Gonzalès, lui, il charge. C'est un hérrros.

— C'est un héros, certes, mais un héros mort, dis-je brutalement, car je venais de le voir chanceler, faire un grand moulinet avec son sabre et tomber de tout son long sur le nez.

— Alors il n'y a plus de révolution possible, dit Pilar calmement en baissant ses lorgnettes. Si Gonzalès est toué l'aventure est finie. Ce n'est plus intéressant. Je vais me mettre en deuil.

Dignement, elle quitta le pont et rentra dans sa cabine.

Parmi les figurants restés dans les canots le plus grand désordre régnait. Tous ceux qui demeuraient valides dépouillaient en hâte leurs uniformes de mascarade comme si ce geste eut dû suffire à les protéger, à arrêter le jeu meurtrier; c'était leur manière de dire pouce. Bien entendu, l'ennemi qui n'entendait pas ce langage, n'en continuait pas moins à les mitrailler, les prenant pour cible avec ou sans leurs uniformes. Quelques-uns d'entre eux préférèrent se jeter à l'eau et tenter de regagner notre bord à la nage, poursuivis par les balles-frelons. Jérôme avait disparu. Se trouvant à l'extrémité de la ligne des canots, il n'avait pas essuyé les premières rafales qui avaient eu pour champ le canot cinéma et celui de M. Kock. Quand la deuxième arme automatique entra en action sur la deuxième partie du front, Jérôme avait eu le temps de sauter à terre, de traverser en quelques bonds la bande de sable et de s'enfoncer vers la gauche dans la brousse épaisse. Fuyait-il ou courait-il à l'attaque, c'est ce que je ne saurais vous dire. Toujours est-il que je ne l'ai plus revu.

Quant à Schutz, ce jeune entêté, il était en train de se battre avec les hommes de son canot pour les contraindre à courir sus à l'ennemi. Ce qu'il y a de plus prodigieux, c'est qu'il y parvint, fit débarquer sa troupe sous les rafales dans un ordre à peu près parfait et les entraîna à l'assaut en utilisant le terrain par bond successif, comme on le lui avait appris à l'école du soldat. Par hasard, il avait reçu un pistolet avec ses chargeurs appropriés. Je le vis se servir de son arme, la recharger calmement, mais comme il se redressait pour un nouveau bond, la balle bourdonnante entra dans sa tignasse rousse et il retomba, le visage sur le sable. Dans le rond de ma jumelle, je vis une tache plus sombre que ses cheveux s'arrondir autour de sa tête.

Au spectacle de ce massacre, je finis par perdre mon sang-froid. D'un geste furieux, je lançai ma jumelle dans la mer et me tournant vers mes matelots qui, penchés sur la lisse tribord assistaient horrifiés à cette scène incompréhensible pour eux, je me mis à les engueuler comme un sauvage.

— Tas de fainéants, qu'est-ce que vous foutez là ? Si c'est la récolte des pruneaux qui vous intéresse, je vais vous envoyer à terre avec les autres bougres. À vos postes, nom de Dieu, et plus vite que çà.

Je fis mine de dégringoler de la passerelle et ils se hâtèrent de se disperser. C'est alors que j'aperçus à la porte du carré, dans l'ombre du château avant, la jeune Olga qui se balançait paisiblement dans un rocking-chair ; elle n'avait pas bougé de là pendant toute la bataille et n'avait pas même eu un mouvement de curiosité pour venir à tribord regarder ce qui se passait sur la côte. Je m'approchai d'elle et sans dire un mot lui administrai une gifle formidable. C'est avec une véritable haine que je la frappai. L'indifférence bestiale de cette fille, idole de la passivité stupide, enlevait à nos actions, à nos risques, à nos crimes et à nos vertus, bref à notre existence même, toute raison et toute efficace. Sa présence était un obsédant rappel de l'« à quoi bon ? » que l'on peut opposer à toute activité humaine même la plus noble ; elle était une condamnation muette, une dérision perpétuelle de tout ce qui donne de l'intérêt à la vie. Il suffisait de voir comment Olga subissait, sans y prendre part, les pires agitations pour être écœuré par la vanité de toutes choses. Vraiment elle ne méritait pas de vivre notre aventure au même titre par exemple que Schutz ; à son insu, son attitude semblait une ironie intolérable à l'adresse de ce courageux petit gars qui venait de perdre la vie pour rien. Aussi ne pus-je réprimer mon geste de violence honteux.

La joue rouge, Olga leva sur moi un œil étonné.

— Vous n'êtes pas content, capitaine, dit-elle.

Je haussai les épaules et retournai examiner la côte. L'ennemi restait toujours invisible. Sur la plage on ne voyait que les taches claires des uniformes des morts et sur la mer deux canots qui se hâtaient vers le *Libertador*. Dans l'un M. Kock ramait seul, dans l'autre cinq ou six hommes nus, accroupis, faisaient des signaux de détresse ; deux ou trois têtes de nageurs apparaissaient aussi à une centaine de mètres de la plage.

— Levez les ancres ! commandai-je.

Les mitrailleuses ennemies continuaient à tirer, mais maintenant elles prenaient nettement pour cible mon bateau et les balles faisaient sur la tôle un crépitement intermittent de grêle.

Mon parti était pris : fuir au plus vite et gagner un port neutre avant d'être rejoint, arraisonné ou coulé par la canonnière vénézuélienne qui, partie la veille de la Guayra, n'allait pas manquer de nous prendre en chasse.

Les chaînes d'ancre grincèrent. Le bateau délivré reprit une gîte plus souple.

— En avant toute ! hurlai-je.

À côté de moi, le bossman me désigna les canots des rescapés qui s'approchaient de nous à force de rames.

— Je m'en fous, lui dis-je. Ils peuvent crever. Fallait pas qu'ils y aillent. Je ne vais pas perdre une heure à les recueillir. C'est notre peau maintenant que nous jouons.

Et je pensais à part moi : « Et ma peau aujourd'hui vaut 50 000 francs de rente par an. C'est pas le moment de gâcher mon avenir. Si je m'en tire, à moi la vie tranquille, la retraite dorée ».

J'en avais marre, j'étais saturé jusqu'au dégoût de cette aventure ridicule. Je n'avais qu'une hâte, c'était d'en sortir au prix de n'importe quelle lâcheté. Moi qui avais été bon marin et brave toute ma vie, je ne me reconnaissais plus. J'avais peur, je croyais sentir déjà dans mon sillage les canons du navire gouvernemental. Il me semblait qu'un port neutre serait pour moi la fin du cauchemar, que tout serait oublié, effacé, qu'une nouvelle vie allait commencer pour moi, une existence honnête et sans risque.

Le *Libertador* vibra, les hélices battirent l'eau rageusement, le navire glissa, et derrière nous s'ouvrit le sillage dont les rides s'élargissant allèrent mourir jusqu'à la plage.

À quelques encablures de nous, les rescapés, stupéfaits par ma manœuvre, avaient cessé de ramer. Je les vis s'agiter en des signaux désespérés, et M. Kock, debout dans sa barque où quatre hommes agonisaient, tendit le poing vers nous. Dans sa barbe, un trou plus noir s'ouvrit; il criait d'une voix si formidable qu'elle parvint jusqu'à moi, un seul mot: salaud!

— Et maintenant, commandai-je, démolissez le décor. Jetez à la mer les tuyaux de poêle et les canons. Amenez le signal. Hissez le pavillon français à la corne.

Ayant viré de bord nous gagnions la haute mer, laissant à l'est la péninsule de Araya. La brise du large séchait sur mon front la maladive sueur d'angoisse. Ma crise de dépression était passée. La vie était belle.

— Où allons-nous, capitaine?

La générale, qui avait trouvé au fond d'un coffre un voile de crêpe et s'en était couvert la tête en signe de deuil, s'appuyait languissamment au bras de Goratchkoff.

— À Fort de France, madame, répondis-je, où il n'y a pas de tyran à renverser.

— Bravo! fit le Russe. Après tant d'émotions, il sera bon de retrouver le calme dans une colonie de cette chère grande France civilisée.

— Oui, les héros sont morts, les lâches maintenant vont se la couler douce, fis-je d'un ton qui voulait être blessant.

— C'est exact, dit la générale en me regardant d'un tel air que ma confusion éclata.

Je baissai la tête. Soudain, je ne sais quelle amertume, pour la première fois de ma vie, creva dans mon cœur, m'empoisonna ; l'avenir m'apparut insupportable. Je me pris à regretter toute ma vie d'un seul bloc, à la vomir. Mais hélas ! le passé est irréparable, et mon passé, le plus récent comme le plus ancien, m'accablait d'une manière intolérable. Si je suis fou, comme les gens de ce village le prétendent, c'est à cette minute que je le devins. Un ressort se cassa en moi. Le capitaine PetitGuillaume surnommé à juste titre Mauvais Œil, comblait sa malchanceuse destinée. Si cette fois je n'avais pas perdu mon navire, j'avais pourtant porté malheur à l'expédition du général. En outre, si j'avais réussi à me tirer d'affaire, cette apparence de chance devenait pour moi le pire des malheurs, car j'allais être condamné à finir ma vie dans les rancœurs, l'aigreur, les remords, la honte et le déshonneur. Les aventures certes étaient finies pour moi, mais je n'avais pas encore épuisé la malédiction paternelle qui me poursuivait depuis l'enfance. Mauvais Œil n'est pas mort. Il vit à Saint-Maury dans une solitude de réprouvé ; et si l'on s'écarte de moi, c'est qu'on sent obscurément que je porte guigne, même au village où le bonheur est le mieux enraciné. En m'appelant seulement le Fou ces braves gens font preuve d'une dernière charité : mais bientôt eux aussi, renseignés sur ma malfaisance, m'appelleront Mauvais Œil et après m'avoir toléré sans sympathie, ils m'obligeront, par haine et par peur, à fuir. Ce sera justice. Déjà je m'y prépare. J'irai ailleurs, n'importe où : ma rente viagère me suit partout et mon destin aussi. Et maintenant, si la chance vous abandonne, si le malheur vous poursuit, si votre tête et votre cœur sonnent sous les coups d'échecs répétés, vous saurez que c'est ma faute, que vous avez eu tort de me rencontrer.

— Je ne suis pas superstitieux, capitaine, et je brave allégrement le Mauvais Œil. Votre histoire m'a enchanté, mais elle n'est pas finie.

— Bah ! la fin est banale et vous la connaissez déjà puisque vous assistiez à mon procès. J'arrivai sans encombre à Fort de France, après avoir échappé à la canonnière vénézuélienne. Le gouverneur de la Martinique était déjà au courant de la ridicule et dramatique tentative du général Gonzalès, car la radio avait alerté le monde entier. Aussi l'arrivée du *Libertador* en rade de Fort de France fit-elle sensation. On câbla à Paris pour obtenir des instructions. L'affaire, en effet, était sans précédent et susceptible de créer de graves difficultés diplomatiques. Mon cargo naviguait sous pavillon français, il était inscrit sur les registres maritimes de Hambourg, l'armateur était vénézuélien, le capitaine français, l'équipage alle-mand et les passagers désignés comme faisant partie d'une troupe cinématographique. Les gouvernements tombèrent d'accord qu'il valait mieux ne pas ébruiter l'affaire ; et si à Caracas la presse officielle parla avec lyrisme de la « victoire de Cumana remportée par les vaillantes troupes nationales sur une armée révolutionnaire débarquée d'un navire de guerre étranger », à Brest où je fus transféré après mon arrestation, le Tribunal maritime ne retint contre moi comme chef d'inculpation que le « rapt d'hommes ». Comme vous le savez, je fus acquitté après un bref débat au cours duquel je me gardai bien de raconter toute la vérité sur l'affaire du *Libertador*. On se contenta de me destituer de ma charge pour un temps indéterminé. J'étais libre. Il ne me restait plus qu'à profiter de la rente que m'avait constituée le général et que la compagnie d'assurances anglaise ne fit aucune difficulté à me reconnaître. Elle continue à me la payer chaque trimestre scrupuleusement.

Malheur que tout cela, conclut PetitGuillaume.

— Du moins vous avez vécu, fis-je.

— Vécu ? Pouah ! J'ai perdu l'honneur, la santé, le repos et jusqu'à l'espoir de finir mes jours en paix. Les souvenirs me brûlent. J'ai honte et j'ai mal. Vous appelez ça vivre, jeune insensé ? Voyez-vous, l'aventure c'est bon pour les héros. Pour les autres ça finit toujours mal et dans la merde. Car on n'est pas toujours à la hauteur des circonstances. Si gonflé qu'on soit, vient une fois où l'on se trahit soi-même.

Me voilà rentier à quarante-huit ans. J'ai réuni par hasard tous les éléments du bonheur. Mais à quel prix ? Une lâcheté dont le souvenir me poursuit. Moi, capitaine courageux, j'ai levé l'ancre, j'ai fui, abandonnant des compagnons sans retraite possible. C'est pas tant ma peau que je pensais à sauver que ma rente viagère. J'en avais soupé de briquer et de peiner. Finies l'aventure et la casse ! Ça tournait mal ? Salut ! Je pensais à la retraite dans les deux sens du mot. Un coup de sifflet, et en route vers un port neutre. C'est ce qui me reste d'honneur qui se révolte. C'est plus vivace qu'un remords. C'est une indignation contre moi-même qui tout d'un coup me gonfle, me soulève. On dit que je suis fou. Ah ! Ouat ! Je voudrais bien. Mais non. Seulement, au réveil, après avoir dormi là-dessus toute la nuit, ça s'épaissit dans mon gosier, ça me suffoque, je me vomis moi-même. Il faut que je gueule mon dégoût. J'ai tout essayé pour ravaler mon cri : la gymnastique, l'alcool, la lecture, la prière même. Rien à faire. Alors je pousse mon beuglement. Ça me soulage pour un jour. C'est ma façon de me traiter de salaud, de raté, de damné. Toute la journée ensuite, je remâche les souvenirs de la bonne vie, je remets debout ma statue de brave gars qui l'a tirée à la dure à la belle, sans se soucier ni du quart ni du tiers, n'ayant que le ciel, l'espace, la mer pour mesurer mon envergure, le mouvement, le voyage, la bagarre et l'amour pour épuiser le goût de la vie. Je n'avais qu'à continuer, quoi! Ça m'aurait mené tout gentiment jusqu'au dernier coup dur. Une vie bête, inutile? Sans doute! Et puis après? Est-ce que toutes les vies ne sont pas bêtes et inutiles? Du moins j'aurais crevé tranquille. Seulement, voilà, un jour vient où le désir de la course se ralentit. On croit qu'il ferait meilleur le cul sur une chaise, à l'abri des soucis matériels, des grains et des tempêtes, à dorloter ses souvenirs, à épater les sédentaires. À partir de ce jour on est prêt à toutes les lâchetés et à la première occasion on abandonne la ronde, on va s'asseoir parmi les spectateurs. Mais le train est si rapide que rares sont ceux qui peuvent abandonner simplement. En général, c'est au prix d'une trahison. Méfiez-vous des retraités de l'aventure. Ils mentent pour épater le bourgeois. Mais leur conscience sent la saumure. Comme la mienne. Et le soir venu, quand le soleil lui aussi m'abandonne, ça me reprend cet atroce dégoût de moi-même. Un trou se creuse dans ma poitrine, ma gorge se noue, le désespoir roule ses barriques noires dans mon crâne; il faut que ça sorte toute cette tempête d'égout. Alors je hurle un bon coup comme un qui se noie, et ça me lave un peu le cœur, le temps de m'endormir.

Voilà ma vie depuis deux ans. Pourquoi changer, pourquoi bouger? Je l'ai ma retraite, pas vrai? Eh bien, je la garde. À votre santé. Si vous croyez que je suis trop scrupuleux, maniaque de l'honneur, ou que le remords me ronge, vous n'avez rien compris. C'est toute ma vie qui m'écœure, m'être trompé sur la direction au départ, avoir gâché le retour. J'avais un métier, je ne l'ai pas suivi, j'ai préféré l'aventure. Par goût ? Non bien sûr ! Par force et par hasard. En tout cas l'aventure n'est pas un métier. La vie, nom de Dieu ! ça devrait être sérieux, et sans métier, sans filière, sans ambition limitée, rien de sérieux, pas de bonheur, pas de vie possible.

— Capitaine-la-morale, dis-je en plaisantant, c'est à vous dégoûter de l'aventure. Mais vos compagnons, le général, Jérôme, tous les autres, que sont-ils devenus ?

— Le général, je vous l'ai dit, est mort frappé d'une balle en plein front. Lui c'était un héros. Il a vécu son rêve jusqu'au bout sans désillusion. Si l'aventure n'est pas un métier, l'héroïsme lui en est un, mais n'y entre pas qui veut : il faut être prédestiné.

Quant aux autres, les rescapés, Dieu sait ce qu'ils sont devenus. Si jamais vous les retrouvez, lamentables épaves ou riches successeurs, leur sort vous fera voir que j'ai raison. Mais je doute que vous les rencontriez jamais.

— Chiche ! dis-je.

ÉPILOGUE

Trois mois déjà que je vis à Saint-Maury, oisif, isolé. Pendant tout ce temps, je n'ai rien fait, rien lu, rien vu ; pas un ami, pas un appel de mon ancienne vie. Mes visites quotidiennes au capitaine PetitGuillaume sont ma seule distraction. Et les jours ont coulé dans cette paresse heureuse. Mais maintenant qu'il a vidé son sac, le Fou ne m'intéresse plus. Ce n'était qu'une amitié à condition. Son hurlement ne m'inquiète plus, il m'agace. Ce n'est pas encore cet aventurier raté, devenu moraliste radoteur, qui me fera jeter l'ancre. D'ailleurs le voudrais-je que je ne le pourrais pas. Je suis entraîné sur la pente. Désormais je ne peux vivre qu'en roulant ma bosse, en quête de pittoresque violent et de dangers inédits. Peut-être un jour raconterai-je comment j'ai fomenté une révolution dans une province d'une république sud-américaine, comment j'ai fait de l'agitation sociale contre les trusts au Mexique, comment j'ai fait évader trois forçats de la Guyane, comment j'ai monté aux Antilles un syndicat pour la découverte des trésors cachés par les anciens Frères de la Côte. Pour l'instant je n'ai pas le temps d'écrire, il faut vivre dans les deux sens du mot, et ma réserve de patience s'épuise aussi vite que mon argent.

Je ne vais même plus voir PetitGuillaume. Je me promène dans la campagne. J'écoute, j'observe, je compare, j'essaie de recharger mes maigres forces, de raidir mon courage, cette frêle armure que seule ma volonté colle à ma peau, qui m'empêche de tomber. Ici la Nature n'est pas hostile. Elle se prête aux confidences, aux espérances raisonnables.

Le peuplier est le plus sensible des arbres. Au moindre vent il frissonne des pieds à la tête. Feuillage de métal et de soie murmurant comme une âme. C'est au bord de cette musique que je me promène, au bord d'un reflet aussi, puisque l'étang est là, derrière la rangée d'arbres, noir, immobile, couvant un labyrinthe de moires, ou bien je ne sais quel œuf de nuit dans lequel mûrit une Vénus nouvelle d'eau douce. Un coassement angoissé signale la fin d'un rite, et le bond d'une rainette au milieu de ces lèpres vertes, de ces poisses végétales, de ces langues fraîches, immondes, pustulentes qui poussent à fleur d'eau des mares et n'ont de nom qu'en botanique. La magie se poursuit par la réponse du geai ou de la pie porte-guigne, éclair de demi-deuil à travers la ramée. J'écoute le peuplier ami, avide de brise, respirant de tout son feuillage, et qui dit sa prière pour défaire les charmes. Mais nous ne parlons pas la même langue. Ma solitude est telle, si douloureuse, que je mâche des herbes comme je sucerais un philtre ; je froisse des orties, des ronces, pour que mes mains saignent et brûlent, je troue les haies comme un sanglier, je me roule dans les feuilles mortes, la boue, les ordures naturelles, toutes les pelures de la terre, et la poussière délicieuse qui conserve la mémoire du fond des âges. En vain. Le secret m'échappe. La sapinaie détestée des oiseaux bruit de ses millions d'aiguilles harmonieuses. Haut têtés, barons sobres et tyranniques, droits dans leur malheur, fiers d'être sans feuilles et sans douceur, les pins blessés dont le parfum guérit les rhumes s'accrochent en conquérants à la colline de sable, l'enserrent de leurs racines griffues, la transpercent de milliards de poignards, la jonchent d'un tapis glissant et crissant, et de leur cœur résineux appellent en désespérés l'incendie qui les fera jouir. Quel repos sous leur ombre casquée ! Leur haleine embaume, leur sueur sent la force et enivre les grillons. Ils sont les arbres du soleil et de la terre sèche ; ils aiment le feu qui les dévore. Contre leur écorce mon cœur flambe mieux.

Je ne parlerai pas des autres arbres. Trois mois au creux de la campagne ne m'ont rien appris qu'une grande paresse, l'envie et l'impossibilité de me détacher des hommes. À mon âge, il n'y a plus de révélation. Rien ni personne – surtout pas le capitaine PetitGuillaume – ne pourra désormais m'enseigner la bonne manière pour boire le calice. Je n'ai plus que mes propres forces, ma seule expérience. Le malheur d'être homme est inguérissable. Retournons à la ville ; là du moins les plaies sèchent sous des croûtes.

Sans dire adieu à PetitGuillaume je rentrai à Paris.

Quiconque revient à Paris après des mois de repos a l'impression que cette ville lui réserve mille surprises, qu'il est personnellement attendu par mille hasards nouveaux, que toutes les conjonctures et interférences de sa destinée complotent pour lui faire, dans la capitale, un accueil exceptionnel. Déjà il gonfle sa force et son orgueil devant cet inconnu favorable. « Tout va changer, pense-t-il, un sort neuf m'attend ». Ces millions d'êtres brassés, bousculés, cette fourmilière où les instincts, les ambitions, les sentiments se croisent, se heurtent, se déchirent, s'additionnent ou se divisent, les milliards de combinaisons possibles qui peuvent se présenter dans le jeu des rencontres, ce bouillon de culture où le moindre germe se développe d'une façon monstrueuse et inattendue, tout cela fait de Paris la plus étonnante promesse pour un homme avide de renouveler sans cesse sa vie. La première impression du retour est toujours une espèce d'ivresse, une chaleur de défi qui monte à la tête, le « À nous deux ! » des Rastignac et autres héros romantiques, un optimisme aventureux qui nous rend sûr qu'à chaque carrefour, dans l'insane tohu-bohu, dans le désordre apprivoisé des rues et des boulevards, un hasard nous guette, une chance nous attend pour nous permettre de réaliser notre destin. Cet air tonique se dissipe parfois en moins de vingt-quatre heures et la cruelle déception nous rejette dans le troupeau résigné des vaincus qui subissent leur vie. Mais en attendant on a connu quelques instants où l'on fut porté au sommet de soi-même. Et de cela, on n'aura jamais assez de reconnaissance à Paris.

Pour ma part cette impression que j'avais connue déjà dix fois dans ma vie, se renouvela délicieusement. L'aventure qu'avait eu la chance de vivre PetitGuillaume m'apparaissait mesquine et sans goût à côté de celle à laquelle certainement un hasard, organisé par la ville aux sortilèges, allait me permettre de participer. J'étais prêt à tout accueillir, à tout tenter.

Cependant l'habitude, plus forte que toutes les espérances qui me travaillaient l'imagination, me conduisit dès le premier soir dans cet établissement de la rive gauche où l'intelligence désœuvrée a coutume de boire du café.

À la terrasse des « Deux Magots », je retrouvai les mêmes figurants du faux Paris, élèves imbéciles et snobs de l'École des Sciences Politiques qui croient s'affranchir en venant jouer au bridge à côté d'une table occupée par des esthètes dégrossis, mieux lavés, descendus de Montparnasse, ou par des touristes américains accompagnés de leurs parasites, ou par quelques aspirants politiciens, quelques-uns des jeunes porcs du régime qui apprennent à s'engraisser dans l'administration ou les antichambres ministérielles, des journalistes à permission de minuit, bref le gratin de l'intelligence, l'élite sans salon, les petits automates de l'arrivisme et l'internationale de la fausse bohème à change élevé.

Par bonheur, cette clientèle n'arrive pas à gâter le décor, le charme invincible de cette terrasse de la place Saint-Germain-des-Prés d'où l'on peut contempler tout son saoul, avec une joie passive, immobile, indéfinie, l'église, si vieille, si raccommodée qu'elle n'a plus de style ni ces savantes beautés architecturales qui fatiguent les amateurs de cathédrales. Non, ce sont seulement des pierres entassées, mais l'ensemble est d'une candeur, d'une noblesse qui rafraîchit et exalte l'âme. Si chaque homme avait dans son village une église comme celle-là, il serait moins turbulent. Pourrait-il quitter l'ombre d'une telle tour ? Moi-même affalé sur ma chaise, la tête levée vers la grande masse sombre, sommeilleuse, qui se dressait sans passion, sans grandiloquence dans la claire nuit de Juillet, je pensais avec une stupide mélancolie que si j'avais eu Saint-Germain-des-Prés pour paroisse, ma vie aurait peut-être été mieux attachée au réel, plus décente, moins vainement agitée.

L'église de Rabœuf-sur-Ardenne, elle non plus, ne doit pas être comme celle-là, pensai-je. Si M. PetitGuillaume père avait été bedeau ici, son fils n'aurait pas eu le mauvais œil. Certaines pierres ont une vertu d'exorcisme. Celles-ci sont plus fortes que tous les diables mais il faut être né dans leur ombre.

Ces réflexions me ramenèrent aux trois mois que je venais de vivre à Saint-Maury. Quel type tout de même ce capitaine ! Il peut bien pleurnicher maintenant, il a vécu une sacrée belle aventure. Si seulement il m'en arrivait une de ce calibre ! Ah ! vivement un *Libertador* ! Même comme figurant, j'embarque !

Machinalement sur le marbre de mon guéridon, tout en ruminant l'histoire que le capitaine PetitGuillaume m'avait fait vivre par son récit, je dessinais à grands coups de crayon le cargo de mes rêves, et en majuscules énormes j'écrivais le nom évocateur *Libertador*.

Une heure sonna à Saint-Germain-des-Prés. J'étais le dernier client de la terrasse. Le garçon s'approcha de moi et avec un léger accent germanique me dit – non sans rudesse d'ailleurs, ce qui me surprit – « Monsieur, on va fermer. » Docilement je payai. Après avoir ramassé la monnaie et pris mon ciré, le garçon s'apprêtait d'un coup de torchon à effacer mes graffitti, mais il resta la serviette en l'air et grogna un « De quoi ? » si bourru que j'allais le remettre à sa place vertement, pensant qu'il osait me reprocher d'avoir sali son guéridon. Je le regardai. C'était un grand et gros homme, au visage imberbe et plat, aux épaules fatiguées, l'air grognon et accablé ; il contemplait avec étonnement les dessins dont j'avais orné la table.

— C'est vous qui avez écrit ça ? dit-il de sa voix bougonne.

— Et puis après ? répondis-je sèchement. Ça vous dérange ?

— Ça me dérange pas. Moi je m'en fous, essuyer votre écriture, du rouge à lèvre, une pissade de café ou de la fiente de rossignol, pour moi c'est du pareil au même. Mais ce qui m'étonne, c'est que vous ayez écrit *Libertador*.

— Ça vous dit quelque chose ce nom-là ?

— Un peu !

— Un bateau ?

— Tout juste.

— Capitaine PetitGuillaume ?

— Ah ! le salaud !

— Mais alors ?... Vous faisiez partie de l'expédition du général Gonzalès ?

Il me regarda d'un air soupçonneux.

— Qui a bien pu vous raconter cette histoire ?

— Je viens de passer trois mois avec PetitGuillaume.

— Et ce fumier-là vous en a doré une tranche à la Jules Verne avec son *Libertador ?* n'est-ce pas ? Eh ! bien oui, j'y étais à bord de ce sacré cargo, j'ai failli laisser ma peau à Cumana, et puisque vous êtes si bien renseigné, je vais vous dire qui je suis…

— Vous êtes M. Kock, fis-je.

Il grogna encore une fois et d'un geste vif essuya la table.

— C'est bon. Tout ça, c'est du sale souvenir.

— Allez quitter votre tablier, dis-je. Je vous attends, on fera route ensemble et on causera.

M. Kock haussa les épaules et tourna les talons sans me répondre. Je me levai et j'attendis sa sortie en faisant les cent pas sur le trottoir. Derrière les vitres, je le voyais entasser les chaises sur les tables, jeter de la sciure, balayer. Les lumières tombèrent en veilleuse, on tira la grille de fer et M. Kock en veston noir, coiffé d'un chapeau melon, quitta les Deux Magots.

— Où habitez-vous ?

— Aux Gobelins.

— Vous rentrez à pied ?

— Faut bien.

— Alors je vous accompagne. La nuit est belle. En avant.

Et nous voilà partis par la rue Bonaparte, la rue Guynemer, la rue d'Assas, le boulevard de Port-Royal… M. Kock marchait péniblement, pesamment les pieds plats et tournés vers l'extérieur.

— Alors, monsieur Kock, dis-je pour engager la conversation, et votre barbe ? Rasée ?

— Vous avez déjà vu des garçons de café barbus ?

— C'est juste. Tout de même, ça change un homme. PetitGuillaume ne vous reconnaîtrait plus.

— Fichez-moi la paix avec PetitGuillaume. C'est un salaud. Il a de la chance de ne pas me tomber sous la patte.

— Il m'a parlé de vous avec sympathie. C'est un pauvre homme maintenant, dégoûté de tout, neuras-thénique, un peu dérangé du cerveau, et qui rumine son malheur toute la journée.

— Son malheur ? Laissez-moi rigoler ! Il peut vivre en rentier maintenant avec ce que lui a donné le géné-ral. À ce prix-là, on peut risquer sa peau sans remords dans n'importe quel coup dur. D'ailleurs, lui, il n'a rien risqué du tout, cet enfant de Jésuite ; quand ça s'est mis à chauffer, il s'est tiré, abandonnant tous les copains. Salut, débrouillez-vous…

— Il m'a dit ça aussi. D'après son récit, je ne pensais même pas que vous ayez pu en réchapper.

— J'ai ramé toute la journée comme un galérien sous le soleil. Par ces chaleurs, la viande ne se conserve pas fraîche longtemps. J'avais trois macchabées dans ma barque et ils commençaient à fleurer la charogne. Je les ai foutus à l'eau. Un quatrième avec une balle dans le ventre gueulait comme un porc : « À boire ! À boire ! » Ça finit par taper dans les oreilles, un chrétien déguisé qui se plaint de la soif pendant que soi-même on sue comme une fontaine. Alors je lui ai foutu de l'eau de mer dans la figure pour le faire taire, mais ça l'a fait râler encore plus fort. Heureusement, en approchant de la côte, il s'est mis à appeler « Maman, maman ! » Chouette ! C'était la fin. Après trois petits râles, il clabota. Je l'ai laissé dans la barque et je me suis enfoncé dans l'ombre de la brousse. Toute la nuit, je l'ai passée couché dans un ruisseau, à boire par la bouche, par le nez, par les yeux, par tous les pores de la peau. Le matin j'avais si froid que j'étais tout raide, paralysé. Ah ! je m'en souviendrai des journées que j'ai passées dans ce bled. J'avais peur qu'on me poursuive. De Cumana on m'avait vu traverser le détroit. Mais sans doute ils avaient mieux à faire que d'envoyer un canot à ma recherche, ou bien le cadavre trouvé dans ma barque leur avait suffi. Toujours est-il que j'ai vécu bien peinard ma petite vie de Robinson dans cette péninsule de Araya. Après l'avoir traversée dans sa longueur, je découvris sur la côte caraïbe une tribu d'Indiens, des braves gens qui pêchaient des perles et des éponges. J'ai vécu trois mois avec eux sans voir un seul blanc, ni même un de ces demi-blancs macaques qui pullulent dans ces pays. Puis un jour est arrivé un Portugais à bord d'un petit voilier qui faisait du cabotage pour échanger aux Indiens leurs perles contre des verroteries, des bimbeloteries et des coupons de soie artificielle. « Vous allez m'emmener que je lui ai dit ». — « Jamais de la vie qu'il m'a répondu. Vous êtes peut-être un forçat évadé et je ne veux pas d'histoires ». — « C'est bon, que j'y fais, alors j'explique à ces pauvres types comment vous les volez en leur donnant du verre blanc contre des perles et je vous casse la gueule pour vous apprendre à vivre ». Le macaque sort son revolver et les choses allaient se gâter quand son maître d'équipage qui avait entendu la discussion intervient. — « Patron, qu'y dit, c'est un compatriote à moi. Je l'ai reconnu à son accent. On peut pas le laisser ici, je vous paie son passage sur ma part jusqu'à Trinidad ». — « C'est bon, répond l'olivâtre. Je le débarquerai à Port of Spain et il ira se faire pendre où il voudra ». Alors je saute de joie, j'embrasse mon pays, un beau Poméranien qui avait plutôt l'air d'un paysan que d'un marin, je dis adieu à mes braves Indiens, et pour mon argent de poche, je leur barbotte une poignée de perles. Une semaine après, j'étais à Port of Spain, j'allais voir mon consul, je lui racontais une histoire à dormir debout qu'il fit semblant de croire, et muni de nouveaux papiers, ayant réalisé quelques milliers de francs avec mes perles, je pus rentrer en Europe. On y est mieux que sur la côte caraïbe pour sûr, mais je suis devenu une vraie loque, je ne suis plus un homme. J'ai pas osé retourner à Hambourg ; ma femme, mes filles, mon foyer, ma place à la Douane, tout ça c'est du passé, c'est une autre vie ; il ne faut pas compter retrouver tout ça intact. Il faudrait que je sois assez jeune et assez courageux pour recommencer une nouvelle existence et dans le bon sens cette fois. Mais je vous le dis, je suis un vieux déchet, je n'ai plus de goût à rien, je ne suis plus un homme, quoi ! Tenez, je fume contre PetitGuillaume, je lui en veux à mort à ce dégoûtant, eh bien, si je le rencontrais, je ne sais même pas si j'aurais le coup de sang nécessaire pour lever la main sur lui. C'est vous dire si je me dégoûte moi-même. C'est depuis que j'ai fait couper ma barbe que cette faiblesse m'a pris. Je dois être un type dans le genre de Samson : toute la force dans mes poils. Je me le dis bien souvent : pour en sortir, faut d'abord que je laisse repousser ma barbe. Ouais ! Mais alors, encore un coup à changer de métier ? Être garçon de café, ça aplatit les pieds, ça tasse les épaules, ça fait rentrer les hanches dans les fesses, et des « merci » et des « monsieur » et des salamalecs. Mais c'est un bon métier quand même.

« Ah ! misère ! Qu'est-ce qui a bien pu me traverser le citron quand je me suis embarqué sur le *Libertador*.

C'est à n'y pas croire, un homme raisonnable comme moi, honorable, rangé des voitures ».

Il monologuait sans se soucier de ma présence. Je n'avais plus besoin de lui arracher des confidences. Lui aussi, comme PetitGuillaume, il avait gardé de ce passé aventureux et qui me paraissait si enviable, une amertume inguérissable, une blessure invisible et profonde qui l'avait atteint dans ses forces vives. Une épave de plus. Et les autres, me demandai-je, ont-ils sombré comme lui ?

— Monsieur Kock, fis-je, comme nous arrivions avenue des Gobelins, savez-vous ce que sont devenus les autres rescapés du *Libertador ?*

— Y en a deux du moins que vous n'aurez pas de peine à retrouver si ça vous chante. Ce sont Goratchkoff et la Générale. Ils se sont mariés ensemble...

— Pas possible ! fis-je stupéfait.

— Mais si. Le giton et la goule ont associé leur fortune. Vous n'avez qu'à ouvrir le Bottin mondain, vous trouverez leur adresse : Prince et princesse Goratchkoff, avenue Foch je ne sais plus quel numéro, une espèce de palais d'un luxe très vieille Russie où se donnent des fêtes somptueuses dont le compte rendu tient des colonnes dans les journaux de la haute. Tout le gratin blasonné de Paris et aussi les constructeurs d'avions, les diplomates, les propriétaires de bordels qui ont fait fortune, les académiciens, les champions sportifs et tout ce qui reste de la cour du tsar fréquentent chez cette relavûre d'hôtel borgne, chez ce déchet de mâle. La petite tante a pris du titre, et le charme slave aidant, il a épousé la veuve Pilar, ses poils, ses nichons et ses millions, juste de quoi devenir la plus en vue des personnalités parisiennes. Rien que ça, c'est à vous dégoûter de l'aventure. Pour que des vibrions vicieux comme ce Goratchkoff soient seuls en définitive à en profiter. Merde alors ! vaut mieux rester marchand de marrons toute son auvergnate de vie !

— Et sa fille ? Il a dû la marier à un La Rochefoucauld ?

— Olga ? Pas de nouvelles. Disparue. On m'a dit qu'il l'avait abandonnée à Fort-de-France où elle s'était fait enlever par un maquereau nègre.

— Et les autres, monsieur Kock, tous vos compagnons ?

Il haussa les épaules.

— Les pauvres gens ! Sont morts, y a pas de doute. Sauf peut-être Jérôme. J'ai comme une idée que ce grand diable de Breton s'en est tiré. S'il n'est pas mangé des crabes, il fera parler de lui, car il était vaillant, et dur, et têtu, ce gars-là. Mais sans son complice Martin, pas débrouillard pour un sou, trop naïf. À mon idée, il doit encore briquer à cette heure dans un coin de la côte caraïbe. C'était pas un homme à abandonner la partie. En voilà un de grand corps, j'aurais joie à le revoir, nom de Dieu !

Nous étions arrivés au domicile de M. Kock. Un hôtel de plâtre, sans enseigne, sans lumière, sans même ce bureau d'accueil aperçu derrière les rideaux en filet où la table en pitchpin, le tableau aux clous de cuivre pour accrocher les clés, le standard des sonnettes, le téléphone mural, la lampe veilleuse, réconfortent le voyageur. Rien qu'une façade d'un blanc sale frottée de courants d'air, habituée aux gifles du vent et de la pluie, et qui pendant les nuits d'été suinte doucement la lèpre humide gagnée dans les autres saisons ; et la petite porte obscure toujours ouverte, l'escalier tombant à même la rue sur deux marches de pierre. Au mur cette main coupée, cette main de crime, qui indique l'écriteau.

Chambres meublées
Bureau au 1ᵉʳ

— Allons, dit M. Kock, voilà ma crèche. C'est bien aimable à vous de m'avoir accompagné.

— Pas gai votre hôtel, hein ? fis-je.

— Pour dormir, c'est bien assez bon. C'est plutôt la rue qui n'est pas gaie.

— Si on vous offrait maintenant de rembarquer sur le *Libertador,* avec les mêmes promesses, le même attrait d'aventure, vous accepteriez encore…

— Ah ! non alors, s'écria M. Kock.

— Mais pour échapper à tout ça, pour vous tirer de cette misère médiocre, n'importe quoi ne vaut-il pas mieux que de traîner une vie de champignon à pourrir sans espoir sur une couche de fumier, à l'ombre humide de murs sales… Il y a au moins le soleil, la bagarre, le risque, l'ivresse, toute une grande explosion d'impressions vives, colorées, que sais-je ?

— Vous parlez comme un blanc-bec. Il vaut mieux la cloche que l'aventure, croyez-moi. J'ai compris.

— C'est moi qui ne vous comprends pas, fis-je, tristement. Allons, adieu, monsieur Kock, bonne chance.

— Adieu, grogna le gros homme.

Il entra dans l'ombre de la porte.

J'avais à peine tourné les talons qu'il me rappelait :

— Hep, Monsieur ! À propos, où reste-t-il maintenant PetitGuillaume, des fois que j'aurais besoin de le voir.

— Dans un village à 50 kilomètres de Paris, à Saint-Maury-sur-Yveline, répondis-je. Allez donc le voir un jour, ça lui fera plaisir.

— Peut-être, répondit M. Kock…

J'entendis ses pieds lourds qui heurtaient les marches à tâtons dans l'escalier.

Devant le somptueux hôtel du prince Goratchkoff, avenue Foch, ma première pensée fut qu'il y avait au moins deux rescapés du *Libertador* à qui le capitaine PetitGuillaume n'avait pas porté malheur. Des laquais en livrée à culottes courtes me reçurent cérémonieusement et m'introduisirent dans un immense salon au luxe hétéroclite, très bazar oriental, genre mille et une nuits. Des palmiers y poussaient à même le plancher et des fougères géantes, des lianes, des fleurs grosses comme des assiettes, toute une flore de serre ruisselait sur les meubles, sur les tapis, grimpait le long des colonnes et des torchères, escaladait jusqu'au plafond haut de dix mètres et retombait sur un poêle moscovite ou le long de panoplies arabes. Partout des peaux de bêtes, des tapis, des tentures, des coussins, un fouillis inextricable de tabourets, de poufs, de meubles bas et bizarres d'une destination inconnue, des cassolettes, des brûle-parfums, une selle de cheikh aux étriers d'or dressée sur son support au milieu de la pièce, dans les coins des icônes devant lesquelles brûlait une petite flamme ; des drapeaux pendaient aux murs ; dans une vitrine un musée de décorations ; un jet d'eau murmurait dans sa vasque quelque part derrière un buisson de

yatagans. C'était une gageure d'avoir réuni un tel bric-
à-brac où la pièce rare, le bibelot de prix voisinait avec
les pires déchets du décrochez-moi-ça.

Dans ce salon vaste comme un hall de gare, une imagination perverse, effrénée, s'était donnée libre cours
pour y entasser tout ce dont peut rêver un enfant enivré
de faux luxe, de camelote, de style bizarre. C'était à
n'en pas douter l'œuvre d'un fou.

Je m'étais fait annoncer comme un journaliste dési-
reux d'obtenir une interview sur les projets de vacances
du prince et de la princesse. À peine cinq minutes d'attente et je ne sais où une tenture se souleva et, à travers
le dédale des meubles, posant ses petits pieds avec
précaution sur les coussins et les peaux, la démarche
sautillante, Goratchkoff fit son entrée. Soigné comme
une poupée, parfumé, piqueté des éclats précieux que
jetaient ses bagues, ses perles, ses chaînes, le petit
homme s'avança vers moi, les mains dansantes, affairé
de cordialité.

— Comme c'est aimable à vous, cher Monsieur, de
vous être dérangé. Quel est le journal qui veut bien
s'intéresser à nos modestes personnes ? Notre départ
tardif cette année pour Deauville sans doute inquiète
le Tout-Paris... Rassurez vos lecteurs, monsieur, nous
partons après-demain. Mais la princesse se plaît dans
ce Paris désert et ses bonnes œuvres ne veulent pas la
lâcher. C'est une originale, vous savez. À Deauville,

nous donnerons une fête monstre ; je vais renouveler le geste d'Artaxerès, vous savez bien, le Grand Roi des Perses, je ferai fouetter la mer par mille figurants. C'est une idée, ça, une idée d'artiste, n'est-ce pas ?

— C'est peut-être aussi une vengeance personnelle, fis-je doucement.

— Plaît-il ?

— Je me suis laissé dire que vous avez gardé un mauvais souvenir de certaine croisière…

— Le mal de mer ? Pfuit ! J'en ai vu d'autres.

— En effet. Sur le *Libertador*…

Goratchkoff sursauta. Une voix forte, à ce moment, avec un fort accent espagnol, éclata derrière moi.

— Qui est celui-là qui parle du *Libertador ?*

Je me retournai et me trouvai en présence d'une forte femme, culottée et guêtrée, un fouet de chasse à la main. La générale, en devenant princesse, n'avait rien gagné en élégance ni en beauté. Sa barbe poussait toujours avec une vigueur végétale et sa voix rude prouvait qu'elle avait gardé ses mœurs militaires.

— *Le Libertador* c'était un bateau héroïque, monsieur…

Goratchkoff lui faisait des signes de détresse pour qu'elle se tût, mais elle n'en tenait aucun compte.

— Feu mon premier mari, le général Clariarte y Equipa…

Elle prononça « feu » comme un commandement

de salve, avec une telle énergie que le petit Russe sursauta.

— Ma chère amie, dit-il timidement, monsieur est journaliste et veut prendre une interview sur notre grande fête de Deauville…

— Taratata, dit la générale, il a parlé du *Libertador*. Pourquoi ?

— Eh ! bien, madame, fis-je, figurez-vous que le capitaine PetitGuillaume, mon ami, m'a raconté l'héroïque épopée du *Libertador*…

— Vous n'allez pas parler de ça dans les journaux, glapit Goratchkoff. C'est du roman, tout ça. Avec vos mensonges vous pouvez perdre notre situation mondaine.

— Taisez-vous, farfadet ridicule ! tonna la générale en brandissant son fouet.

Et tournée vers moi, avec une voix suave et le ton du plus parfait mépris : « Il m'ennuie ce petit homme. Cé n'est pas un héros comme Gonzalès. PetitGuillaume vous a parlé de Gonzalès. Ah ! c'était oune homme grand et qui faisait des choses encore plus grandes qué lui.

— Ainsi, vous êtes fidèle à son souvenir ?

— C'est plus que de la fidélité, monsieur, s'écria Goratchkoff, c'est de l'obsession maniaque.

— Silence ! cria Pilar, ou je vous renvoie à votre néant.

— Vous voyez, monsieur, gémit Goratchkoff, je ne compte pas pour elle. Elle m'empêche de réaliser tous mes grands projets ; elle ne s'intéresse à rien, elle vit toujours dans ses rêves de révolution comme au temps du *Libertador* et il n'y a que le souvenir de Gonzalès qui compte. Tout l'hôtel est consacré à entretenir la gloire de ce héros. La seule pièce dont je dispose pour déployer mes talents de décorateur, pour la meubler à mon goût et m'y évader de la grossièreté quotidienne, c'est celle-ci. C'est mon petit paradis. Tout le reste c'est l'enfer. Mais même ici parfois la princesse me poursuit de sa colère.

La générale haussa les épaules.

— Oui, ici c'est la niche de mon petit Russe. Il peut y mettre tous ses cacas et sa pouillerie. Je lui laisse à ce Goratchkoff. Vous savez, je l'ai épousé comme j'aurais épousé mon pékinois. Cette petite bête m'avait attendrie. Mais il ne sait même pas faire l'amour, ou plutôt il ne peut pas, il a des billes d'enfant entre les jambes, et il court après tous les gros hommes pour jouer avec que c'en est dégoûtant. Que barbaridad ! Je suis obligée de le fesser cé gnôme vicieux.

— Parfaitement, elle me bat, monsieur, elle me bat, pleura Goratchkoff. Hélas ! je mène une vie bien malheureuse !

— Excusez-moi, fis-je. Si vous permettez, je vais vous exposer avec franchise le but de ma visite. Voici : le capitaine PetitGuillaume, qui m'a raconté en détail l'histoire de l'expédition du général Gonzalès et la défaite de Cumana, est atteint d'une forme étrange de neurasthénie qui met ses jours en danger. Il est persuadé qu'il est doué du mauvais œil, qu'il porte malheur, et que si l'aventure du *Libertador* a mal tourné c'est la faute à son guignon. De plus, il lui est venu un dégoût et même une haine inexplicable contre ce qu'il appelle l'Aventure avec un grand A, c'est-à-dire tout ce qui pousse l'homme en dehors des voies normales, tout ce qui l'incite à courir le monde, à risquer sa chance, quelques soient les formes et les moyens : il est devenu le prophète des culs de plomb. Il prétend que l'on n'y trouve en définitive qu'avilissement, honte, déshonneur, misère, malheur, etc... Eh! bien, si parmi les rescapés du *Libertador,* je pouvais en trouver au moins un qui n'ait pas perdu ses illusions, qui soit encore prêt à risquer la même aventure dans l'enthousiasme et qui n'ait rapporté de la première expérience que d'exaltants souvenirs capables de le soutenir dans la vie, je crois que j'aurais une chance de guérir PetitGuillaume de sa neurasthénie. Puis-je vous prendre en exemple ? Puis-je dire à PetitGuillaume : vos remords sont ridicules, vos théories sont fausses ; voici un couple à qui l'épopée du *Libertador* a été profitable. Goratchkoff est devenu prince, toutes ses ambitions mondaines sont satisfaites, tous ses goûts délicats sont comblés. La générale continue à vivre dans la même *aura* héroïque ; le souvenir de son mari la soutient et la guide ; elle n'a renoncé à aucune des nobles ambitions qui étaient les siennes ; elle est toujours prête à donner et à recevoir des coups, dans l'amour comme dans la guerre, pour l'un et pour l'autre elle continue à chercher des hommes et la chance lui sourit : elle en trouve. Demain, peut-être, un nouveau *Libertador*...

— Chut ! fit la générale. Soyons discrets. Il est trop tôt pour parler de la nouvelle expédition que j'organise, mais vous pouvez déjà dire à ce chimérique PetitGuillaume que je le rengage comme capitaine. Une bonne traversée chassera ses papillons noirs. Eh ! quoi ! un échec suffit-il à abattre le courage d'un homme ? Pas le mien, en tout cas. Dites-le lui de ma part.

— Et vous, monsieur ? dis-je en m'adressant à Goratchkoff.

— Vous pouvez lui dire que je suis bien content d'avoir gagné, mais que je n'ai pas du tout l'intention de faire mieux la prochaine fois. Embarqué de force dans l'aventure du *Libertador,* je l'ai toujours désapprouvée. Je blâme toutes les violences et toutes les révolutions. Aussi, suis-je fermement opposé aux desseins de la princesse. Nous ne sommes plus d'âge à jouer ni les Jeanne d'Arc, ni les Bonaparte, même et surtout au Venezuela. Je veux jouir tranquillement du reste de mes jours. Hélas ! ma femme est indomptable ; non seulement elle me bat, mais encore elle veut me faire battre. Aussi, l'heure venue, je refuserai de l'accompagner dans sa folle expédition.

— Je t'emmènerai de force, cher petit bagage, dit la générale tendrement.

Goratchkoff soupira. Sa figure de vieil enfant ridé se plissa en une moue chagrine :

— Dieu merci, les projets ne sont pas très avancés encore. Nous manquons de partisans.

— Ils n'attendent qu'un signe de moi pour se lever par millions, tonna la générale. Seulement, ce signe je ne peux pas le leur faire par-dessus l'Atlantique. Pour organiser le complot, il me faudrait un messager sûr, qui irait pour moi au Venezuela rassembler les membres épars de la conspiration, prendre langue avec les partisans de feu le général, leur rendre l'espoir, leur donner mes instructions, leur annoncer ma venue libératrice…

— Madame, m'écriai-je, feignant d'être touché de la grâce, je suis l'homme qu'il vous faut. Je connais par PetitGuillaume tous les détails de la première expédition, j'ose dire que je suis pénétré de l'esprit d'héroïsme qui animait feu le général, enfin je connais bien le Venezuela pour y avoir séjourné déjà deux fois.

— Monsieur ! fit Goratchkoff d'un ton de reproche scandalisé. Ne seriez-vous pas reporter mondain ?

La générale me considéra quelque temps d'un œil aigu, en se caressant la barbe. Cet examen ne me fut pas défavorable, car elle murmura : « Joli garçon. Un peu frêle, mais nerveux, doit être bon mâle, résistant et peut-être courageux ». Puis elle éclata d'un rire gras, m'envoya une dégelée de claques sonores sur l'omoplate et s'écria :

— Soit ! Tu seras mon ambassadeur. J'aime les décisions vite prises. Tu pars demain, muchacho. Je vais te signer un gros chèque.

D'un coup de botte elle envoya valser un coussin à l'autre bout de la pièce où l'on entendit le fracas d'une précieuse vaisselle brisée, avec son fouet elle cingla les peaux de vigogne, les lustres, les bibelots qui s'offraient à sa portée, et elle quitta le salon dans un rush ravageur, ses grosses fesses joyeuses craquant dans leur gaine de peau.

— Cette femme fait plus de dégâts qu'un tremblement de terre, soupira Goratchkoff qui se précipita pour ramasser ses faïences brisées.

Deux minutes après, la générale me tendait un chèque :

— Peut-être retrouverez-vous là-bas quelques rescapés du *Libertador*. Dites-leur que je les engage de nouveau.

— Et votre nièce, monsieur Goratchkoff, ne l'avez-vous pas laissée aussi sous les Tropiques ?

— Ah, la pauvre chère enfant, elle s'est fait enlever à Fort-de-France par un galant et la princesse n'a pas voulu que je la recherche.

— C'était une gourgandine, dit la générale. Dès que les hommes la voyaient, ils s'essuyaient le ventre sur elle. Croyez-vous que cette mijaurée voulait être ma rivale. Elle m'a enlevé l'affection d'Antonio, le plus beau *chulo* que j'ai jamais connu. Eh ! bien, je lui laisse son maquereau nègre maintenant. Si jamais vous la rencontrez, celle-là, vous lui conseillerez de faire pèlerinage à la vierge du Pilier pour se guérir du chauffebrayette qui la tient.

Muni de mon chèque je me précipitai à la Compagnie Transatlantique où je retins une cabine sur le Lafayette qui appareillait le surlendemain pour les Antilles et le Venezuela.

Le hasard, le merveilleux hasard, faisait bien les choses. PetitGuillaume, sans s'en douter, m'ouvrait les portes de l'aventure. Son mauvais œil me portait chance, je me promettais bien, à mon retour, après m'être rendu compte sur place, s'il y avait vraiment quelque possibilité de tenter une révolution au Venezuela, de retourner voir le capitaine à Saint-Maury, de le tirer de sa retraite, de le persuader de reprendre le commandement du nouveau *Libertador,* de lui prouver que la vie est belle, riche d'imprévus et qu'il suffit de s'y frotter avec entrain pour en jouir. Ah ! la course aux fantômes dont il m'avait suggéré l'idée s'annonçait fructueuse. Des vaincus comme PetitGuillaume et Kock, il en faut bien dans toutes les batailles de l'existence. Mais des femmes comme Pilar, des jeunes loups aux dents longues comme moi, ça doit gagner la partie. À nous deux !

Mais à quoi bon multiplier les commentaires et les tirades ; à quoi bon détailler par le menu mes pas et mes démarches de jeune écervelé. Je dois être bref. Si j'écris cette histoire aujourd'hui, ce n'est pas pour faire joli ni romanesque ni émouvant ni pittoresque, c'est pour me rassurer moi-même, comme les enfants chantent dans le noir pour se donner du courage. J'ai dû, depuis deux ans, faire retraite, abandonner tout espoir, toute ambition, renoncer à ces promesses charnues qu'offre la vie mouvementée. Je vis en ermite forcé, en misanthrope, en philosophe malgré moi. Alors, pour étouffer les vieux regrets, pour serrer mon gros cœur, pour étrangler mes dernières illusions, je me ressasse les arguments qui militent en faveur d'une existence de repos méditatif, et en voulant les illustrer par une œuvre d'imagination, je n'ai rien trouvé de mieux que de raconter une histoire vraie, celle de la dernière aventure du capitaine mauvais œil, à la fin de laquelle je fus mêlé. Les théories de PetitGuillaume sur le bonheur et sur la vie, le souvenir de son désenchantement, de son inexplicable folie me servent aujourd'hui à mon tour de boucliers, de remèdes contre les vieux prurits d'aventure qui me démangent encore. « Il faut être raisonnable. Tu as fini ta carrière. Laisse-toi vivre. Tu l'as échappé belle. Ne retourne pas au risque. Repose-toi. Deviens plante ». Telle est la réconfortante moralité, et qui m'aide à supporter un âge mûr sans horizons, que je tire de l'histoire du *Libertador*. Comme d'autres choisiraient Ignace de Loyola ou je ne sais quel poète bouddhiste comme maîtres de renoncement, moi j'ai pris le capitaine PetitGuillaume. C'est moins noble, moins distingué, moins spirituel, moins éloquent, mais ça me touche mieux, c'est plus efficace pour moi, c'est plus vrai parce que la vérité c'est la vie moins la poésie et moins la religion. Voilà pourquoi j'ai écrit ces pages de confidences en toute naïveté, sans style, sans plan, avec l'espoir seulement, en renforçant ma propre conviction, de convaincre quelques-uns d'autres qu'il ne faut rien attendre d'une vie livrée à la fantaisie, à l'agitation, à l'ambition ; bref, je voudrais par des exemples ni trop exemplaires ni trop romancés, vous dégoûter de l'Aventure, vous guérir, pauvres frères, par un récit de bonne foi, de vos dangereux désirs d'évasion. On s'évade du bagne, mais on ne s'évade pas des emmerdements de la vie ni de son propre désespoir, même pas par le suicide : le seul remède, c'est l'immobilité.

Et maintenant, laissez-moi finir mon histoire.

Vous pensez bien que j'ai retrouvé Olga. Je ne l'ai pas fait exprès, je ne la cherchais pas. Mais il fallait bien, n'est-ce pas, que le hasard bouclât la boucle.

À l'escale de Fort-de-France j'étais descendu à terre. En débarquant on est accueilli par l'infinie douceur du zézaiement créole qui se reflète jusque dans les mœurs et le décor de la ville. Ce ne sont que sourires, ramages de négresses dont beaucoup portent encore le cotillon et le madras traditionnels. On traverse de petits ponts de bois enjambant nonchalamment des rivières qui s'appellent avec une puérile coquetterie rivière Mademoiselle, rivière Madame. La fameuse Savane où se dresse la statue de Joséphine ressemble au mail d'une sous-préfecture française. Il y a aussi sur une colline une petite église qui singe amoureusement le Sacré-Cœur de Montmartre.

Dans cette délicieuse capitale coloniale on respire un air aphrodisiaque, et la plus urgente nécessité, après boire un punch, c'est évidemment caresser une fille. C'est un plaisir facile à se procurer, car de la brune à la café au lait toutes les Créoles se prêtent volontiers à ce jeu agréable. Mais le touriste d'un jour, dans sa chasse rapide aux illusions, dans tous les ports du monde, commence toujours par aller prendre dans le quartier réservé le degré de fièvre amoureuse de la ville. C'est ce que je fis et bien entendu c'est là que je trouvai Olga.

Elle était assise sur un pliant au seuil de sa case sans fenêtre. Elle était la seule femme blanche dans cette ruelle du vice. Je ne pensais pas à elle en venant dans ce quartier et pourtant je la reconnus à première vue. Cette pose hiératique, cette indifférence souveraine, cette pureté et cette beauté inaltérables ne pouvaient appartenir qu'à Olga Goratchkoff. Sous sa chemisette rose, elle n'avait pas l'air plus indécent ni plus nu que ne saurait l'être une statue antique affublée du même vêtement ridicule. Elle était absente de son propre corps. Elle subissait sa vie sans la vivre. Les noirs endimanchés, les matelots, les dockers, que le désir habite si vite, passaient devant elle sans s'enflammer; ils la regardaient avec une espèce d'inquiétude curieuse, mais sans oser lui adresser la parole. Ses compagnes de prostitution, de sordides négresses criardes, qui s'accrochaient aux passants et pissaient comme des bêtes dans le ruisseau, la traitaient avec un détachement respectueux. Elle régnait, cette femme blanche, trop blanche, avec ses yeux bleus, ses cheveux de lin, ses seins encore droits, ses cuisses parfaites, elle régnait sans le savoir sur ces lieux honteux.

Chaque putain avait sa petite maison, un cube de torchis rose sans fenêtre; un rideau de bambou obstruant la porte indiquait qu'un client consommait. Je restai près d'une heure à observer Olga. Pas une fois le rideau ne se baissa. Cette fille qui, quand elle était sage, provoquait le viol, devenue prostituée ne soulevait même plus le désir des chiens chauds. Ce sont là les trahisons banales de la chair.

— Bonjour, Olga Goratchkoff, lui dis-je.

Elle leva les yeux sans même qu'une flamme d'étonnement y brillât de s'entendre nommer par un étranger, et d'une voix chantante elle me répondit seulement par la phrase traditionnelle :

— Tu entres, chéri ?

J'entrai dans sa case et le rideau de bambou tomba. Dans la pénombre j'aperçus un lit de fer sans drap, un broc d'eau, un seau hygiénique. Au mur, épinglée, la photographie d'un boxeur nègre. Rien d'autre. Alors, très vite, je fis l'amour avec Olga Goratchkoff et sans dire un mot, sans lui poser une question, je m'enfuis, écœuré, bouleversé par la destinée de cette fille qui, prise dans un tourbillon d'aventures, surnageait immobile, impossible à souiller, véritable automate de la soumission. Du moins, son cas me prouvait que, quoi qu'en dise PetitGuillaume, aucun renoncement ne suffit à nous protéger, aucune inertie n'est un valable abri, si l'on ne réussit d'abord à s'ancrer en eau calme, à se tenir à l'écart des grands courants de la vie.

Pour que mon éducation fût complète, il me restait encore à retrouver Jérôme Le Guellec. En deux mots voici comment ce dernier miracle se produisit:

Menant mon enquête pour la générale, je parcourais les principales villes du littoral vénézuélien. Je ne prenais guère ma tâche au sérieux. Au rôle de conspirateur je préférais celui de touriste, et je flânais avec délice le long de cette mer qui n'a pas encore oublié sa leçon de souvenirs; dans le décor immobile de ces ports chaque pierre parle encore le langage d'aventures révolues, d'étranges survivances, l'atmosphère et les mœurs, tout rappelle les temps héroïques où les gentilshommes de fortune avaient choisi ces parages pour théâtre de leurs exploits.

Or un jour, à Puerto Cabello, après avoir erré à travers les rues mortes de chaleur, je longeai la plage où les vagues sans marée s'arrêtent au pied des palmiers, léchant les sanies de la terre. Le long de la dune, des paillotes de bambou adossées à la verdure sont habitées par quelques misérables déchets d'humanité qui, ne daignant pas même mendier, vivent de noix de coco et de baies sauvages.

À la porte d'une de ces huttes, je vis, allongé par terre, un grand cadavre vivant en putréfaction, un lépreux qui somnolait en chantonnant. Le soleil, merveilleux maquilleur, donnait aux chairs pourries la même splendeur éclatante qu'à des figues mûres, qu'à des fleurs, des fleurs de chair violacées sur lesquelles bombillaient des mouches multicolores. Le corps sculpté de plaies violettes, la face semblable à un cratère lunaire où tout trait humain avait fondu, cette charogne chantait, étendue au seuil de la case en plein soleil, face à la mer que ne rebute aucune souillure. En m'approchant, j'entendis avec une joie horrible mêlée de pitié que ce lépreux chantait en français l'imbécile romance de Botrel : « J'aime mieux ma Paimpolaise… »

— Vous êtes Français, dis-je à ce misérable.

— Non, je suis Breton, me répondit-il. Mon nom est Jérôme Le Guellec et je suis natif de Roscoff. Mais je parle aussi le Français comme vous voyez.

— Puis-je quelque chose pour vous ?

— Bah ! je ne désire rien. Je suis tranquille ici et j'en ai soupé des aventures.

Il fredonnait, il sifflotait, il avait l'air heureux de vivre.

— Bien sûr, j'ai des bobos qui me rongent la peau. C'est une gale des tropiques pas ordinaire. Et puis je ne suis plus aussi fort qu'autrefois. Mais à part ça, je me la coule douce. On me laisse en paix, et si par hasard un gueux me tracasse ou qu'un sale nègre veut me voler ma maison, paf! un bon coup-de-poing en pleine gueule. Et le poing de Jérôme, vous savez, c'est un fameux porte-respect.

Je restai une semaine à Puerto Cabello et chaque jour j'allai bavarder avec Jérôme. Il était content de rencontrer un compatriote. Avec moi il se sentait en confiance.

— T'as une bonne gueule, m'avait-il dit. J'aime bien te raconter mes histoires, car on voit que tu en feras profit. Ah! la vie, quelle agitation! J'en ai marre. Heureusement que maintenant je suis rangé des voitures, un philosophe, quoi! et sans m'en faire je compte les vagues toute la journée. Mais avant de connaître ce bonheur, j'en ai passé des trucs. Voilà trois ans que je suis ici. J'étais venu en me cachant à travers la brousse, évitant les sillages et ne mangeant que des bananes – ce que c'est fade les bananes, et farineux – ça ne passe pas dans le gosier – et par-ci par-là un poulet que je croquais tout cru. Faut vous dire qu'à l'époque j'étais un dangereux rebelle, un chef révolutionnaire et ma tête était mise à prix par le président Gomez. Mais pour avoir Jérôme, faut être malin. Je me suis tiré des pattes et déguisé pendant six mois en fleur de jungle. Puis ces sales bobos ont commencé à me sortir de la peau. Alors je me suis approché de la mer pour me guérir. Je me suis installé ici ; personne ne m'a rien demandé, ni d'où

je venais ni ce que je faisais. Je dors, je mange, je me trempe dans l'eau à ma guise, et je n'ai plus d'envie ni d'ambition. Je suis bien.

C'est toute l'histoire du *Libertador* que j'entendis conter une fois de plus par cette bouche horrible, rongée de lèpre, mais qui pourtant n'avait pas perdu encore l'habitude de sourire.

— Veux-tu que je te fasse rapatrier, demandai-je à Jérôme ?

— Ah ! ma doué ! non, me répondit-il. J'aime mieux ma villa au bord de la mer. En Bretagne je n'en aurai pas autant et peut-être qu'on m'éloignerait de la mer. J'aime tant la mer, voyez-vous, pour son bruit et pour son sel. Je l'écoute et c'est toujours le même refrain, on ne peut pas s'y tromper ; je m'y trempe et ça cuit délicieusement la peau, et cet enveloppement qui étouffe, ce bouillonnement dans les oreilles, dans les narines, ce sable qui brûle la peau, le soleil qui fait ronron sous le crâne et qui fait voir de magiques cercles noirs à force de le regarder, tout ça c'est mon bonheur.

Évidemment n'avait-il pas le sort le plus beau, de marcher couvert de haillons dans l'embrasement des tropiques, insouciant de tout, même de l'hygiène, grattant ses plaies de ses ongles terreux, cependant que la pitié et la charité le couvrent, de sa case à la mer où du moins il peut se tremper sans la souiller.

✳

À la fois touriste goguenard et pèlerin ému, après avoir constaté qu'au Venezuela personne ne se souvenait ou ne voulait se souvenir de l'expédition du général Gonzalès, que la plage de Cumana elle-même n'avait pas gardé trace de la fin tragique des figurants du *Libertador,* je jugeai ma mission terminée et je rentrai en Europe.

Tout se fondait dans un horizon romanesque. Les survivants eux-mêmes me paraissaient irréels, placés à dessein sur mon chemin comme des trompe l'œil de théâtre pour créer la vraisemblance. Mais je n'étais pas loin de croire avoir rêvé. Pitoyable mission que la mienne ! Je ramassai les miettes de l'aventure, mais le banquet était déjà dévoré. Je sentais le ridicule de recommencer avec la générale une seconde expédition. Comme issue : la mort violente, la lèpre, la folie, la misère, la déchéance. Vraiment j'avais mieux à faire ailleurs.

Pourtant je voulus faire mon pèlerinage jusqu'au bout et au lieu de rentrer directement en France, je pris le paquebot de la ligne allemande qui me débarqua à Hambourg. Là, tout chaud encore des vieux souvenirs, je pris au fond de mon portefeuille la lettre de Schutz que m'avait confiée PetitGuillaume et je décidai d'aller la remettre avec trois années de retard à sa destinataire. Sur l'enveloppe je lus l'adresse dont l'écriture déjà avait jauni :

Frau SCHUTZ
33 Koënigsstrasse A-2
Hambourg

C'est un devoir de charité, pensai-je en heurtant la porte de Mme Schutz difficilement trouvée dans le dédale de cet immeuble caserne.

Une vieille femme m'ouvrit. Le visage propre mais dur, les cheveux encore plus blonds que blancs, tirés en bandeaux plats.

— Des nouvelles de votre fils, madame Schutz, dis-je.

— Lequel ? répondit la vieille sans émotion apparente, sans un geste d'accueil à mon égard.

— Le petit roux qui est parti sans rien dire voilà cinq ans. Il vous écrit d'Amérique.

— C'est un voyou, une tête de cochon. Il peut bien rester où il est.

Je tendais la lettre d'un air gêné.

— Qu'est ce que vous voulez que j'en fasse de sa lettre, reprit Mme Schutz, je ne sais pas lire et je me moque bien de ce qu'il peut me raconter… Donnez voir quand même, il y a peut-être de l'argent dedans. Il pensait quelquefois à m'en donner autrefois.

Elle déchira l'enveloppe, en tira deux feuilles de papier couvertes d'écriture, les flaira, les approcha de ses vieux yeux que l'âge n'avait pas attendris, fouilla encore l'enveloppe…

— Peuh! rien. Alors? fit-elle.

— Alors, madame, il est mort, dis-je. C'est sa dernière lettre que je vous porte.

Elle flaira de nouveau le papier.

— Mort? Pensez-vous! Les morts, ça n'écrit pas. On m'a déjà fait le coup quand il était à la Légion. Ça m'a coûté vingt marks. Puis il est revenu avec sa tête de fille dolente et il a fallu le nourrir trois mois sans travail. Allez, dites-lui qu'il n'y a plus de pain pour lui ici. C'est un voyou. Qu'il y reste en Amérique! Moi, des fils comme lui, j'en ai toujours trop.

Elle ferma sa porte brusquement. La lettre qu'elle avait froissée et jetée était tombée à mes pieds. Je la ramassai, l'ouvris et lus: « Ma petite maman chérie… »

Au lieu d'aller voir la générale pour lui rendre compte de ma mission, je retournai à Saint-Maury. J'avais des nouvelles pour PetitGuillaume. Je venais de gâcher quelques mois de plus dans ma vie, mais à la recherche d'un temps perdu qui n'était pas le mien j'avais gagné quelques salubres désillusions, et d'un mot le capitaine Mauvais Œil pouvait me rendre la confiance. J'étais en disposition pour écouter ses conseils et peut-être guérir son mal.

Les volets de la Blaterie étaient fermés. La maison, le jardin, la cour avaient un air encore plus abandonné qu'au printemps dernier. Je voulus pousser la grille, mais elle était fermée à l'aide d'une chaîne cadenassée.

Au facteur qui passait poussant son vélo je demandai des nouvelles :

— Le capitaine PetitGuillaume n'habite plus ici ?

— Le Fou ? Ah ! dame non, me répondit-il. Il habite maintenant sur le versant, au cimetière, à dix pieds sous terre. Voilà bien trois mois qu'il est mort. Et assassiné encore ! Ça a fait assez de bruit dans le pays. Lui qui ne recevait jamais personne, un beau soir un gros homme a poussé sa grille. On a bien entendu, quelques minutes plus tard, le Fou pousser un grand cri mais on avait l'habitude de son beuglement, pas vrai ? Aussi on n'y a pas prêté d'attention. Seulement, deux heures après, un particulier se présentait à la gendarmerie de Valreuse et annonçait tranquillement qu'il venait de tuer M. PetitGuillaume. Il avouait son crime avec un tel flegme que les gendarmes ne voulaient pas le croire. L'autre insista. « Je l'ai étranglé comme un pigeon, qu'il disait. Il a crié un bon coup, mais il ne s'est pas défendu ». Les gendarmes en bougonnant se décidèrent à aller voir à la Blaterie, et dans la première pièce en entrant ils trouvèrent le Fou allongé par terre, avec des marques bleues au cou, les yeux grands ouverts. « Pourquoi l'as-tu tué ? » qu'ils demandèrent à l'assassin, mais ce drôle de particulier ne voulut rien dire. Ni au juge d'instruction non plus. Il répondit seulement « J'avais mes raisons. » Vous parlez d'un mystère ! Ces raisons, on les saura peut-être à la Cour d'Assises, à Versailles, où le procès viendra le mois prochain.

— L'assassin, qui est-ce ? demandai-je.

— On sait son nom, guère plus. C'est un nommé Kock, garçon de café à Paris, de nationalité allemande, ancien légionnaire à ce qu'on a dit dans les journaux, une tête brûlée, quoi ! Ce qui rend l'affaire bizarre, c'est qu'il avait laissé pousser sa barbe pour se rendre méconnaissable.

Table